目次

はしがき

私は一会社員でしたが、会社の業務が多岐にまたがり，色々な人生体験に恵まれました。戦後まだ一般の人が海外に渡航できない時代、海外旅行業務に従事し、貨物業界経営者の視察ツアーに同行して世界中の貨物業界の経営を一緒に勉強できました。

さらに、入社４年目に東京から名古屋へ転勤し、１９６３年に、中部産業連盟傘下の若手経営者と一緒にベルギーのブリュッセルで会社経営のセミナーに同行できて、さらにアメリカのシカゴのフォード自動車工場等を訪問見学できたことなど、人生にとって貴重な幅広い体験並びに勉強をすることができました。

その後、会社のある事件に遭遇し、旅行部門を離れて本社の営業部で全く異なった本体業務に専念しておりましたが、その一年後、本社常務取締役兼ニューヨーク駐在米国現地法人の社長より声がかかり、全く予期せぬ海外勤務となりました。

そして、私の人生は小説の筋書きのようなドラマチックな展開をし、サンフランシスコへ赴任し、更にサンパウロ勤務とホノルル勤務を経験して人生稀にしか遭遇できない諸々の事を体験しました。

同時に、海外での勤務は七転び八起きの連続で言葉では尽くせない苦労もありましたが、生まれ育った日本国の政情を外国から客観的に見ることができまして、日本国の未来発展の観点から社会をどのように変革したら日本経済が永続的に発展できて、国民が幸せな生活を送ることができるかという夢を常に心に抱きながら思考しておりました。

特に１９６９年から１９７６年のサンフランシスコ勤務で米国の生活と比較して日本の行政を見ていると、明治維新より国際情勢が激変しているので、その変化に対応できるような行政改革と産業構造改革が必要であることを痛感しました。

特に危機管理と国際経済競争では脆弱な面があり、米国の良い面と日本社会の現状を比較しながら、どの点を改善しなければならないかを色々学びながら試行錯誤致しました。

その第一は国家の危機意識の問題で、第二は行政改革並びに産業構造改革であり、第三は民主主義の基本的人権意識の向上による少子化、貧富の格差是正などの問題解決です。

危機意識の問題は憲法改正が絡んでおり、地方分権と道州制導入は検討されたようですが、明治維新に次ぐ歴史的改革であり、産業構造改革も大変困難な課題で、議題になっても改革までの道程は険しいようですが、これを避けて未来への前進は望めません。

日本の民主主義の成長は緩やかに進んではおりますが、日本の有史以来トップダウンの権威主義的一方通行の行政と産業構造改革が行われない限り、国力の発展は限界があり、他の軍事国家により、国自体が他国から飲み込まれる危険性さえ生じております。

独立国家として高度な民主主義社会への発展を目指し、少子化や貧富の格差是正などの問題解決にはどのような角度から取り組めば良いか検討してみたいと思います。

1986年に通商産業省サービス産業室よりシルバーコロンビア計画が提唱されました。これは一時的な海外居住ができる制度で、特に本場の民主主義の国で実際に生活体験ができて、渋沢栄一氏が欧米文化を学び導入したように日本の改善すべき問題点が良く分かる制度です。

その時はまだブラジル勤務で定年まで数年間ありましたので、直ぐに行動ができなかったのですが、定年後自由な身になってからの老後の人生設計の生き方の選択肢の一つとして自分の力の範囲で少しでも日本社会に貢献できる方策として頭の隅に考えていました。

その後、1992年にロングステイ財団が設立されました。

そして、会社の仕事から解放された1995年にロングステイ財団の賛助会員として、ホノルルでロングステイ インクという新会社を設立しました。

また、サンフランシスコ勤務の時から念頭に置いていた日本の地方分権と道州制導入に対して寄与できる方策はないか模索しておりました。

アメリカの本場の民主主義国家での海外生活体験により、日本の問題点を理解していただく目的で、業務と共にロングステイ ソサエティという任意の集まりを結成し、海外生活を支援しながら、同時にその会をサポートしました。

同時に、「ハワイ黄金生活」（講談社）を出版しましたが、その時は「道州制」のことは殆ど触れておらず、参加者各人がハワイ生活体験を通して民主主義の本質は如何にあるべきか、各自の生活体験から学んでいただこうという願いから生まれた本でした。

日本の国の地方分権、道州制導入推進に多少なりとも貢献できればという気持ちで、草の根運動としてのボランティア的な活動でした。

しかし、２００８年のリーマンショックで日本の経済情勢が一変して、円安になり将来の運営と経営が困難になると判断し、ロングステイ ソサエティは解散し、収益性がある業務のみを現地の後輩に譲り、私と家内の健康問題も生じて帰国しました。

日本では新型コロナウイルスの終息ができず、医療崩壊が続き、程度の差があれ皆夫々異なった悩みを抱いて生活しており、終息後、将来の生活も不安が多いかと思います。

ワクチン接種による終息策は理解できますが、海外のワクチンの開発者はワクチン接種による子供の将来の副作用のリスクを良く考えて子供の接種を考えるべきと言明しておりますので、現状の政府の方策には多少温度差があり不安を抱いております。

特にｍＲＮＡワクチンの発明者のロバート・マローン博士の声明では子供の接種者が子供を産めなくなるリスクがあるとのことで、日本の少子化が更に加速して日本国が滅亡する懸念さえあり、日本人がもっと真剣に議論しなければならない奥深い問題です。

また、道州制導入により初期及び第二段階と、二重の行政水際対策の案も考案できます。

同時にワクチン接種と並行して行えば、終息までの犠牲者や被害者並びに接種による後遺症の不安もかなり軽減されたのではないかと確信しております。

是非、長期的視野で専門家のご意見と議論をお伺い致したく存じますし、コロナ蔓延と政治不信による若い人達の不安を取り除く糸口になることを願っております。

また、安倍元首相の銃撃事件で明らかになったことですが、他国のカルト宗教集団により、日本の政治が民主主義の道を外れて、議員の数の論理を優先し、長年日本の政治に影響を及ぼしていた事実は民主主義に対する背信行為です。

さらに、国際情勢としてロシアのウクライナへの武力行使による他国への侵略と核戦争の危機はアジアへも波及しそうで、東西対立時代に逆戻りして重大な局面に遭遇しております。

この苦難にめげず若い人達の夢を喚起し、日本の行政改革と産業構造改革の問題点を議論して、種々の難問を克服していただく叩き台となるよう願っております。

次世代の若い人達が夢を抱く社会に改革していただくことを念頭に、私の経験と信頼できる海外の情報に基づき老骨に鞭を打って筆を下しました。

若い人達が真実に向かって真面目にそして正直に働ければ幸せな家庭が築ける理想的な社会を作るには、国民の皆様がどの様に考え、どの様に行動すれば解決できるかを僭越ながら提案致しております。

私の年齢から推測して近い将来この世から消えて行く身ですが、若い人達にはこれから予期できない苦難を乗り越えて日本国を背負い人生の夢を開花していただかなければならず、私の経験が少しでも若い方々の将来にお役に立てば幸いと願っております。

第一章　新型コロナウイルス終息対策に何故不安が生じるのか

新型ウイルスは明治維新の時に作られた行政機構で対応できるのか

明治政府は明治2年の版籍奉還に次ぎ、明治4年の廃藩置県で300以上あった藩を整理し、紆余曲折を経て最終的に現在の47都道府県に落ち着きました。

その時代はまだ鉄道も殆ど普及せずに馬や徒歩並びに人力車時代でした。

その後、152年以上の月日が流れて、主要都市中心に経済圏毎に経済が発展し、鉄道や航空機等の交通網も整備されて、2~3県にまたがって毎日通勤する人も大勢います。未来志向の新企業には政府の先行投資が必要で生活環境は明治時代から激変しています。

現在の47都道府県の行政機構と中央集権制度では、待ちの行政となっているため、新型ウイルス初期の終息対策などをはじめ、現在起きている様々な問題に対し、成り行き任せの行政機構に変遷しています。

特に伝染病の初期の終息には敏速な時間が最も大切で、タイミングを失すれば終息に多くの時間を要しますし、国民の苦しみと経済的損失は大きくなります。

色々、無駄な論議を重ね時間が経過し、感染者が増える結果を待って、さらに地方自治体より中央政府に申請して、政府が緊急事態宣言やまん延防止等重点措置を実施するようでは時間がかかり過ぎ、後手の終息対策となり、その間に新型コロナウイルスは日本国中に蔓延してしまいました。

１５０年前ですと新型コロナウイルス菌は人力車や馬車に乗ってやってきて、現代では船や航空機等の乗客や治外法権の米軍人に寄生してやってくるので、１５０年前と同じ行政機構では緊急を要するコロナ対策が初期の段階で遅延が生じます。

欧米諸国は陸続きで難民問題があり、行政機構が広域ですので、新型コロナウイルス終息対策には欧米諸国の対策と異なる日本独自の政策、研究が必要です。

日本文化は未来より過去を大切にする伝統的な習慣がありますが、西洋文化は未来志向の文化があり、現代社会では過去より未来志向の対策を重要視しなければなりません。

海外の学者の中には、当初よりワクチン接種を重ねて行うと副作用があり、子孫に影響を及ぼすとの学説をはっきり表明している人があり、これが事実とすれば将来日本国は少子化がさらに加速されるので国を支える若者がいなくなり国家存亡の危険性さえ生じます。

できず、地方分権及び道州制にすれば首都と各県との往来が激減しますので、リバウンドによる蔓延防止対策の効果が上がると思います。

地方分権及び道州制であれば、食料の生産県と消費県が混在しますので、蔓延の歯止めがかからない州のみ州間の移動を制限しても生活上の大きな支障がなく、敏速な終息対策の効果により、国の経費の出費と国民の苦しみがかなり軽減されたと思います。

特に、ワクチン接種の副反応による少子化リスクを避けて、子孫を維持するために汚染されない緩衝地帯の州を設定して、子孫繁栄と日本国の維持を託す道を開くべきです。一律に子供にもワクチンを奨励することは少子化対策の逆行になります。

また、法的な規制は中央政府の行政で決めるとして、具体的な施行は州知事の判断で実施できれば新型コロナウイルス対策にスピード感が出て、被害も経費も減少します。

米国のように中央政府と州政府の責任分担を明確にして、州政府は州内の地元に密着したインフラ整備や緊急性がある流行病防止対策等は新州政府へ一部の権限を委譲しておけば、初期段階では政府の財政的支援を受けることなく、新州政府の財源の範囲内で敏速に施策ができて、軽微な財源で敏速に対処できるだけでなく、地元住民の積極的な協力を得られることが期待できます。

地方分権及び道州制導入下では法的対策は中央政府が行い実施の具体策は新州政府の責任で実施されるので、州知事の力量が評価され民意の終息参加意識の高揚が期待できます。

また、地方分権及び道州制ですと、ワクチンの配布は日本全国一律に行うのでなく、緩衝地帯の州はできる限りワクチン接種を無くす方向で、緊急性がある州のみワクチン接種すれば効率的に終息期間が短縮できて、さらに効率的効果が期待できます。

さらに、地方分権及び道州制導入となれば新型コロナウイルス対策は日本全国一律に同じように行うのでなく、汚染が防げない州と汚染緩衝地帯の州に分けて汚染防止対策をするので、少子化の加速にブレーキを掛ける結果が期待できます。

州間の移動は厳重な検疫を行うこととし、持病のためワクチンを避けたい人や時間的な余裕がある人は緩衝地帯の州に一時的な仮住まいして、新型コロナウイルスの被害から避けることができる避難場所を設定すれば経済活動も並行して行うことができます。

この場合、一部経済活動と両立できるので、業種によっては会社が一時的に緩衝地帯の州への移転も可能で、弱者の救済も可能なので苦しみが軽減されると思います。

私は福岡勤務時代、日本旅行業協会（ＪＡＴＡ）の初代九州支部長を務めた経験もありましたので、旅行業界の新型コロナウイルスによる経営の苦しみは特によく理解できますが、ＧｏＴｏトラベルを47都道府県の下で実施したので、コロナウイルスが発生していなかった岩手県をはじめ、終息の見込みがある県までコロナウイルスが拡散しました。

　さらにそのリバウンドで国の全地域に蔓延し、終息期間が長期になったばかりでなく、国民の新型コロナウイルスによる苦しみが倍増しました。

　上記の水際対策であればＧｏＴｏトラベルは汚染している州のみ除外し、汚染している州の移動可能な業者は一時汚染していない州に出稼ぎに行き、相互に可能な経済活動を実施しても汚染の拡散に影響がないように経済活動と並行して実施できた筈です。

　当初、第一にやるべきことはＰＣＲ検査体制の強化であり、全国一律でなく新型コロナウイルス発生の可能性が高く緊急性を要する州からワクチン接種を急ぎ、同時に陽性患者への治療薬を準備して、コロナ患者の全国的な拡大対策が必要でした。

　地方分権並びに道州制が直ぐに実施できなければ、第四波頃より首都圏並びに関西の各知事さんが同一歩調で対処されたように、コロナウイルス終息対策として柔軟な考え方で各県の連携による終息策でも実現可能でした。

　もう一つの利点は数県を纏めた道州制であれば県をまたがって医療施設が利用できるので各地区の協力で病院の稼働率が高まり医療崩壊の防ぎにもなりました。

コロナ終息対策の議論で、専門家の意見を尊重する姿勢は十分評価されますが、国民の立場で行政機構改革の点からのコロナ終息対策の議論がないのは甚だ残念です。

マスコミの報道

もう一つの要因はマスコミの報道が権威主義の影響で民主的自由討論の報道が遅れていることです。国を守り国民の命と幸せを守る意見であればフランクに議論をすべきです。日本のマスコミは隠蔽体質がありますが、民主主義国家では報道の自由があり、先手の正しい少数意見を発掘しそれを討議して、また国民の立場で真実の報道をするのがマスコミの使命です。真実の報道が意図的に遅れると民主主義の発展も遅れます。

新型コロナウイルスの第一次緊急事態宣言があった直後、まだ終息には程遠く、蔓延の兆しがあり、将来、少子化が加速すると同時に死者が増大し、国の存亡にも影響することが考えられた時のことです。

国の将来を憂い切羽詰まった気持で、朝日新聞社へ上記の水際対策の意見を2020年7月下旬に投稿しました。

勿論、私の投稿を採用するかどうかは朝日新聞社の自由裁量で、投稿が採用されなかったという恨みは全くありませんが、字数の制限があって投稿の説明が不十分でご理解いただけなかった点もあったかもしれません。

しかし、私の投稿を採用しなくとも日本人誰しも困っている時でしたので、国民に寄り添った気持ちがあれば、国家衰退に影響を及ぼす事柄であり、投稿者へ問題の真意を問い合わせて、隠れた角度から世論へこの問題提起をし、報道すべきだったと思います。

議論を重ねていくうちにワクチン開発者のロバート・マローン博士の声明にあるような少子化問題がさらに加速されることを真剣に議論されるようになったかもしれません。

少子化の加速化による日本国の存亡の危機が議論されないのは残念ですが、投書の規定では、職業と年齢を記す項目があり、民主主義のルールに反しています。

国連が提唱しているＳＤＧｓは「5．ジェンダー平等を実現しよう」「10．人や国の不平等をなくそう」とあり年齢や性差別並びに人種差別を禁じております。

米国では半世紀前より新社員の採用申し込みの際、企業が応募用紙に年齢を記すことさえも避けていました。

従って、投稿当時、私が87歳（現在89歳）であったため年齢差別で無視された可能性があり、それとも反日的で中国寄りの報道をする新聞だったかもしれません。

私が福岡旅行支店長をしていた時、終戦後中国との国交が回復し、指定業者の交渉にも参加して日本人が初めて、中国へ渡航ができるようになった当初の話です。

勤務の会社は中国政府より取扱い業者の許可を受けて、旧満州の引き揚げ者が現地慰霊を実現したいとの熱望で、僧侶や九州朝日放送の社員等が同行して、戦後初めてロシア国境近くの旧北満洲のチャムスへ慰霊目的の旅行を実現しました。

郊外の草木もない盛り土の処に終戦前後に餓死者や病死者を埋葬したとのことで、現地へ到着後、早速、同行の僧侶が卒塔婆を立てて慰霊を始めたのです。

やがて日本人の団体が戦後はじめて来たので、現地の人は卒塔婆が何を意味するか理解できずに、何をしようとするのか物珍しさで現地住民の見物人が大勢集まりました。同行の九州朝日放送の社員がその写真を撮って朝日新聞に「日本人に抗議をしに来た」と写真入りで虚偽の報道を朝日新聞に掲載しました。

私はその場に居まして慰霊団と現地住民との会話は一言もなく、抗議の意思表示もなく、その抗議の報道が事実無根であることは明白でした。

後日、帰国後九州朝日放送の社員は特ダネ報道をした評価で、局長賞をもらったとのことで、虚偽の報道をして社内では高い評価を受ける新聞社の体質は信頼できません。

その記事が原因で私の会社の本社の担当本部長が当時の厚生省から事情聴取のため呼び出されて、朝日新聞の報道は捏造の虚偽報道であると説明して理解されましたが、私が個人的に言葉で言い尽くせない程の禍を蒙った経験があります。

朝日新聞社は日頃貴重な報道をしていただき大変感謝している面もありますが、マスコミの報道は世論形成に大きく影響を及ぼすので、公平な真実を貫き国民に寄り添った報道をすべき責任があります。

マスコミの報道が正しければ国民の世論に良い影響を及ぼして、国が高度な民主主義へ導く役割の力もあるのです。

明治維新は多くの志士が血を流し、命を投げ出して達成し、その恩恵と明治の人達の努力のお蔭で19世紀の植民地支配から逃れて、先進国への道を切り開いたのです。

大正時代に大正デモクラシーが芽生え、民主主義体制に移ったのですが、昭和の１９３２年5月15日（５・１５事件）犬養毅首相が海軍将校により射殺され、１９３６年2月26日（２・２６事件）では陸軍の青年将校が高橋是清蔵相を殺傷してクーデターを起こし（クーデター事態は3日で鎮圧されました）軍部が民主政治を破壊して暴走を始めました。

その時、軍部の暴走に抑止力を持ち世論を反戦の方向へ導くことができたのはマスコミの力だけですが、衆議院議員　斎藤隆夫氏が日中戦争に対する演説で衆議院議員を除名された時、日本のマスコミが軍部の暴走に反対して、斎藤隆夫氏を擁護し、共に反戦の報道を行ったような記録は日本歴史の中に残っておりません。

その後、日中戦争から不幸な第二次世界大戦に至るのですが、当時のマスコミは軍部に同調して、戦争遂行を世間に煽り戦争へ導く手助けをしたのではないかと推測されます。

日中戦争以降、米国から石油輸出全面禁止を受け、米国、イギリス、中国、オランダからＡＢＣＤ包囲網と呼ばれる経済封鎖を受け、第二次近衛首相が世論に押されて日中の和平失敗で退陣して、近衛内閣の外務大臣の東條英樹が後継首相となり、無謀な第二次世界大戦へ突入しました。

当時の民主主義が未熟で、軍部の暴走を阻止するためにマスコミが明治維新の志士達のように真正面から正義を貫き、戦争反対の世論を形成して軍部の暴走を阻止できなかったことはマスコミ及び国民の責任であり、歴史的に反省すべきですが、これを語る人はいません。

また、民主主義体制の欧米諸国と共産主義を主導するロシア連邦諸国との対立が深まり、自衛隊創設の必要性が生じた当時のマスコミの報道は専守防衛のことは触れず再軍備反対であり、当時の世論に悪影響も及ぼした可能性は否定できません。

従って、当時の世論は米軍頼りの他力本願に傾いて、政府の沿岸警備の重要性の認識が薄く、北朝鮮の拉致問題に関しても北朝鮮による拉致の発生を全く予知することができなかったのが現状でした。

当時の国民は「自分達の防衛は自分達でまもらなければならない自衛のための必要性」の専守防衛に触れず、国民に寄り添った自衛隊創設の報道を読んだ記憶がありません。

私は子供の頃から新聞は毎日欠かさず読んでおりましたが、再軍備反対の世論を煽るような報道で、専守防衛のための再軍備の必要性の報道はなく、当時の一部の新聞社の報道は国民が再軍備は直ちに戦争に繋がる誤解をするような報道だったと記憶しております。

基本的にマスコミの報道は国家戦略に利用される場合が多く、また、国家安全保障に影響を及ぼす場合もあるので、外資が入っては国益を守ることができず中立であるべきです。

歴史をたどると、戦国時代より各豪族間の情報及び各藩間の情報は戦略上大変重要で、日本が戦後戦争放棄したとは言え、安全保障上、マスコミの中立性は大変重要で、常に資本構成は公開すべきで、国民が判断を誤らないよう何らかの規制が必要だと思います。

国民としてはマスコミが中立的立場で真実の報道を行うことが大変重要であり、外資の出資が入っている新聞社は、出資国の利益の方向へ施策が誘導される危険があります。

また、ＮＨＫは国民が料金を支払う公共放送ですから、時の政権の立場の報道ではなく、日本国の未来志向の世論を喚起する正しい真実を中立的な立場で率直に報道すべきです。

安倍元首相銃撃事件で明らかになった、カルト宗教集団の国会議員や地方議員等の選挙への関与により日本の民主主義に歪みが生じている現実が、何故事件後まで報道されなかったのか、政府の権力により何等かの形で報道が統制されているような疑問が生じます。

ＮＨＫは現在、総務省管轄の特殊法人ですから、政府が人事権を駆使できるので、真実を避けて常に政府寄りの報道になり、未来志向の核心的な真実の問題点を避ける報道になっており、日本の民主主義の発展が遅滞して公共放送の意義が軽減されています。

報道の自由の堅持の為、三権分立の枠組みの管轄の中に入れて裁判所管轄の特殊法人にすれば中立性が保持されて、民主主義の発展に埋もれている重要な意見が発掘され、国民が知りたい真実と未来志向の報道に変化して民主主義が発展するのではないでしょうか。

例えば２０２１年の憲法記念日の時、ＮＨＫは憲法改正の賛否街頭報道に「賛成しますか反対ですか」と小学校の運動会の赤白勝ち負けのような質問で反対理由は「今日まで平和が保持できたので改正の必要がない」という改正反対の軽薄な意見の報道でした。

この街頭意見のポイントは先ず回答者に終戦直後に作成された第9条戦争放棄の憲法は反人道的な侵略者の行為を全く想定しなかった時代に作成された憲法であり、世界情勢の激変に応じて「現行憲法で国を守ることが可能か」と思考を要する質問をすべきです。

同時に、日本国単独での防衛が不可能だから、価値観を共有する国と協同防衛で抑止力を高める道があり、相互協同防衛の連携のために憲法改正の必要性はあるかどうかという賛否報道になります。

憲法改正反対論者には話し合いができない侵略者に対し、どのような手段で守れるかという具体的な解決策の意見を良く聞き、現実的核心に触れた街頭報道をしなければ憲法改正賛否の報道価値がなく、民主主義の発展は停滞します。

前回の参議院選挙で憲法改正反対論者の意見を聞いていても、あくまで外交努力と話し合いで平和を維持すると非現実の綺麗ごとで、残念ながら話し合いができない侵略者に対する具体的対処策の意見がなく、戦後長い間、日本国民の多くの人が侵略戦争と専守防衛戦争を区別していなかったようです。

ＮＨＫは民間放送でできる番組は民間放送に任せ、未来志向で現在日本が直面している課題、経済低迷30年間の原因究明とその改善策の意見、民主主義の発展と国民の将来的に貢献する意見など、国力増進や福祉のための公共報道を増やすべきです。

特に新型コロナウイルス終息対策に関して、医療従事者は皆頭が下がるようなご努力をされておりますが、医療従事者や権威者だけの意見に頼るのでなく、マスコミは行政機構の視点からの対応やワクチン開発者等のあらゆる角度から国民の経済的な損失や終息後の経済回復対策を如何なる施策で進めるべきか、一般の人の埋もれた意見を含めて報道すべきです。

激変する世界情勢の下で国民と政府が一体となって国を支えるには、政府及び国民がさらに高度な民主主義政治に発展させる必要があり、未来志向の近代的な行政体制に改革することで、最終目的は国力増進と国民の生活を豊かにすることができます。

政府とマスコミは国家機密関連については別として、真実を隠蔽するのは民主主義政治に反しますし、国民がカルト宗教集団の手に侵され、その国民の苦悩が今日まで報道されなかったことは甚だ残念に思います。

また、政府と医療従事者が一生懸命にコロナ対策を行っても、治外法権の米軍基地から新型コロナウイルスが漏れてくることが第6波の時初めて明るみになるような隠蔽報道体質は改善しなければ国民の利益になりません。

この事実について政府関係者及び報道関係者は早くから判っていた筈で、常に国民の生活に直接影響を及ぼす隠れた重要な真実は速やかに報道し、政府関係者と国民が一緒に終息対策の議論を行い対処するのが政府への信頼を増し、国民生活に安心感が生じ、隠れた叡智が出現して最良の策が実現すると思います。

民主主義の原点から再出発

日本の政治の問題点は、多くの日本国民の幸せを考えず、カルト宗教集団によって苦しむ人達を無視して宗教を選挙に利用し、日本の民主主義の基本精神を崩壊したことです。

さらに、30年来の不況を続けて、その皺寄せを低所得者層及び中産階級の国民に押し付けたままで、場当たり的に色々な手当てを増やす対策で国民の目をそらしております。

少子化問題は子育て環境改善のため手当を一時的に支援することは必要ですが、政治的根本的対策は子育て年代の賃金を増やして、将来マイホーム購入の夢を実現させ、心豊かな生活が送れる生活環境の改善整備をするのが解決の筋道ですが、どのような行政体制改革をすれば良いかという絶対必要な議論がありません。

また、カルト宗教集団を選挙に利用した議員は日本の民主主義の破壊で言語道断な行為ですから、お詫びや救済策だけでは済まされず、日本古来の武士道精神では切腹者です。

しかし、現代ではその切腹の古い処罰はなくなり、敗者復活戦の思考がありますので、猛反省をして犯した罪を上回る具体的な優れた実績をあげ、その誠意を示すことができる議員のみ、国民はその議員の継続を許してくれるでしょう。

禍を転じて福と為す歴史的政策とは地方分権並びに道州制導入であり、同時に民主政治を高度なレベルに発展させれば、国力が増進すると共に少子化等の問題が解決できます。

このように隠蔽するのでなく速やかに国民に知らせる報道への改善を行い、政府も国民も一体となって改善するのが民主主義政治の良い点です。

経済発展と豊かな生活の道

地下資源が少なく、地震や台風等の自然災害が多い日本は、今日まで国民の勤勉な労働力により自然災害を克服して、各種物作りの技術で国の発展に貢献してきた人材こそが資源でした。

従って、国内市場だけでなく国際市場へ拡大した際、行政改革に伴う行政機構の効率化及び事務作業のデジタル化により効率を高め、捻出した人材と財源を未来志向の新規企業に投資すると共に、最終的目標は国力増進と人件費の付加価値増進に努力すべきです。

また、終戦後、軍国主義から民主主義へ移行のどさくさに紛れて、明治以来の行政機構を整理せずにそのまま議員制度を導入しており、過剰な議員や重複する行政機構が数多くあり、地方では議員になる人がいない地域もあるのですが、この無益な費用は全部税金で賄われ、国民が負担していることを政府と国民が深く理解し改善しなければなりません。

日本経済が絶頂の時、発展途上国から製造技術は盗まれて職業は減少し、バブル崩壊、リーマンショックにより、多くの会社が経営危機の回避策として、人件費の削減及び若年層や低所得者層の賃金の圧縮が続き不景気が長期化しています。

日本の行政は細かい事項の議論は得意ですが、現代社会に適応した世界的な広い視野に立って未来志向で行う行政経済機構改革などの検討すべき議論がありません。

その結果、デジタル化による事務の効率化が遅れています。マッカーサー元帥が占領下当時押し付けた議員数の是正と無駄な財源など、削減すべき点を検討すべきです。

政府や経済専門家等は、国際金融政策及びソ連のウクライナ侵略戦争に対する経済制裁や新型コロナの影響での物価高並びに円安等の要因で日本経済が低迷し、国民生活が悪化していることに対する改善策として賃金アップを主張されていますが、一時的な改善ができても、根本的な問題である行政機構と経済構造改革に取り組まねば継続的な真の解決ができません。

好調な大企業は賃金アップが可能な企業もありますが、中小企業は物価高と同じように賃金アップができないほど経営が苦しい企業もあります。

幸い日本には卓越した人材はいますので、国民が民主主義のルールを良く理解できるように学校の政治教育を見直す必要があり、生活体験から起因するボトムアップの叡智が行政改革と経済構造改革に反映できる体制にすれば異なった角度から問題解決できます。

それには国民の積極的な政治参加と国民に寄り添ったマスコミの協力が絶対に必要で、民主主義は主権が国民にあるので、その権利を生かさねば改革がなかなか実現できません。

国政選挙や地方選挙の際、マスコミは候補者の経歴と主義主張、心情、行政機構と経済構造改革、政策、見識などにつき、国民に寄り添った報道をして、国民が候補者選びの判断を誤らないよう未来志向の意見を重要視した報道が必要です。

正しい方向に日本の政治を発展させてくれる議員と政党を厳選することが大変重要であり、罪を犯した議員が当選し、当選したら登院もせず給与だけ受け取り、罷免されても謝罪も無いような議員が実在する現実は衆愚政治に近い局面があります。

このような事態が二度と起こらないようにマスコミは真実を報道し、国政選挙に際して国民が常に投票の判断を誤らないように留意して下さい。

また、若い人達が国民としての義務を自覚し、将来自分達が負の問題を背負って改革しなければならない覚悟で、世代交代を意気込むくらいの気概がある将来のリーダー候補者を発掘しなければなりません。

現実問題として選挙では3バン（地盤、看板、鞄＝金）がなければ当選できないと言われて無名の候補者が立候補し難い環境ですが、マスコミは日本国の発展の為、公開討論会及び弁論大会等の機会を作り、埋もれた優秀な気概がある若者を発掘できる環境整備をし、3バンがなくても立候補できるような社会構造の改革が必要です。

残念ながら、現在の日本社会は戦後、覇権主義から民主主義に代わり、3／4世紀以上の月日が流れていますが、民主主義の機能が充分に発揮されているとは言い難い面があります。

直面している防衛費の財源確保、30年来の経済低迷による中産階級と低所得者への賃金圧迫、少子化問題、行政及び経済構造改革、行政のデジタル化など種々の難問題を解決する議論がなく、その根本的な対策は議員任せです。

外交面ではG－7の一員として活躍されていますが、内政面では国力は低下傾向であり、一部の国民以外、中産階級と低所得者層は生活レベルも下降状態です。

その原因を理解し、選出した議員が種々の問題を解決してくれない場合、民主主義下では国民がマスコミと共に積極的に政治に参加して、国民の生活を希望に満ちた豊かな生活へ導くための努力をする道があります。

第二章　地方分権と道州制の意義

トップダウンの民主主義の政治から、ボトムから国を支える高度な民主主義社会へ

　戦後、日本の政治が覇権主義から民主主義社会へと変わり、国内中心の経済から国際社会の経済へと発展していく過程で、政治体制も民意の成長と共に、国際社会で通用できる社会変革の必要性が生じてきました。

　しかし、戦後78年の月日が経過しても、日本の政治はまだ戦前と同じトップダウンの一方通行の政治です。国際経済へ発展した以上、海外でしのぎを削って実際に活躍しているボトムアップのグローバルな意見も政治に反映されなければなりません。国内のみの思考では国際社会から敗退します。

　残念ながら日本社会には封建的社会体質がまだ完全には除去されておらず、欧米諸国の民主主義とは少し異なっており、日本の民主主義は異なった意見を排除する村社会的な体質が残存しています。

トップダウンの政治は民主主義の初期発展期には民意は全て時の政府の指導に忠実に従えば良く、治安の安定と統治には好都合ですが、日本や世界の歴史でも例があるように、中央集権の政治体制は強制力が強化される反面、崩壊し易い諸刃の剣の側面もあります。

民主主義は主権が国民にあるので、人権の尊重及び自由平等の精神が徹底して政府並びに民意が一体となり、民意の成長と共に国民が国を支える高度な民主主義へ発展すれば、さらに国は栄えて、国民が幅広く自由平等になり幸せとなります。

逆に、権力主義的民主主義下では国力が低下し、経済が低迷すると、政治家がその皺寄せを改革することなく成り行き任せで、中産階級及び低所得者層の賃金カットや生活環境の低下を強いる結果が生じます。

さらに国会議員並びに県知事、市長や地方議員等が、選挙を有利に導くため、長年カルト宗教集団に関与していた行為は、カルト宗教集団に苦しめられている国民と国を裏切った行為であり、決して許されるべきではありません。高度な民主主義では民意がこれを排除できる力を有していますが、そのためには民意の成長が絶対必要です。

日本の民主主義と欧米の民主主義の大きな違いは、政治と民意において人権と自由平等の精神の理解度に温度差があり、欧米諸国の場合、民意が直ぐに政治に反映されますが、日本の場合、議論する前に個人的損得の判断が先行して意見を述べることができません。明治維新では渋沢栄一氏を始め多くの志士が欧州で経済、文化を学びその思考が政治及び経済改革の基本となって日本が発展しました。

戦後、廃墟から奇跡的経済復興が成功したためか、政府及び民意共に国際情勢に対する意見の吸収力が鈍り、トップダウンの政治行政が変りなく行われ、民意の叡智が反映され難い環境です。

しかし、日本経済が国際市場では下降に向かっていますので、謙虚にあらゆる意見を吸収ができる国内社会体制を確立しなければなりません。

トップダウンの行政は子供の教育にも影響し、イエスマンで知識力優先の優等生を尊重しますが、叡智に満ち創造力があって正義を貫く改革者は排除され易い環境になります。

日本が国際進出をするなかで、海外生活を体験する人も増えています。海外で体験したことは価値観が異なるので直ぐには馴染めないこともありますが、いろいろ、先進国の行政や経済の価値観並びに国際情勢に理解を深めて、政府と国民が一体となり、海外の良い点を取り入れると経済は発展し、国民の幸せな生活を保つことができます。

日本の民主主義が正常に成長できないのは、真の正しい価値観より選挙票数の論理が優先し、与野党の政治家が正義の議論を省き、選挙票集めに手段を選ばず、他国のカルト宗教集団組織を利用して民主主義の基本的理念を逸脱しているからです。

行政経費を支える国民の負担能力とのバランス

高度な民主主義に発展するには国民全員が政治に参加し民意のレベルアップを図ることが必要であり、行政の経済的効率と民意の成長を高める地方分権及び道州制導入が絶対に必要です。

昭和20年8月15日終戦を迎え、日本国は昭和26年9月8日のサンフランシスコ講和条約が締結されるまで米軍の統治下になり、民主主義が導入されました。

終戦の翌年昭和21年4月10日、私が小学6年の時、初めて女性参政権の国政選挙と各地の地方議員選挙がありました。

当時、復興経済をどのようにするかが大きな課題で、占領下であり行政機構改革の検討もなく、国会議員や地方議員の数は戦時中の従来の行政機構に議員数を割り当てマッカーサー元帥の命令として実施され、有権者が適切な人数であるか否かの議論はなかったようです。

国会議員や地方議員は国民の意見を代表して行政を行い、その事務方の公務員と共に国家財政支出から生計を立て、一般国民はそれを支えるために税金を払う社会構造であるということを小学生の時、学校の先生から教わった記憶があります。

その時直ぐに博多の山笠が念頭に浮かび、神輿の上に乗る人と担ぐ人のバランスを考えて、上に乗る人が多くなって神輿を担ぐ人が支えきれなくて走れなくなったら、日本国の財政と進む道、さらに自分達の未来はどうなるか子供心に大変心配した記憶があります。

小学生時代、戦時教育で育ち、急に頭の切り替えができず米国への信頼性がまだ充分でない頃、日本が再び戦争を引き起こさないように国力弱体化のため、政策上議員数を多くしたのではないのかと子供心ながら米国に対する猜疑心を抱き、日本の将来を憂いました。

つまり、子供でも判る人口に対する議員数及び公務員数のバランスの悪さがあります。そしてその費用は国民の税金で負担しているので、行政機構の財政経費及び政府の未来志向の財政投資の財源は、国民の税金負担能力の範囲内であるかどうかそのバランスは大変重要な課題です。

Ｇ-７の先進諸国と比較して、防衛費を除き総議員数と必要政府要員の経費負担額を人口比率により算出すれば、日本人の行政経費の国民負担率は一番多いかと思います。

何故ならばG－7の各国は議員数と政府行政要員の経費をデジタル化と事務の効率化努力で国民の税負担を軽減しております。

日本は行政機構が重複して整理されていないため効率が悪く、人口比では国会及び地方議員数が多いので、国民の財政負担が大きく、国民がその経費を全部背負っており、中産階級と低所得者層の所得にその皺寄せが集中しています。

従って、少子化が急速に進行して人口が減り、高齢化が進み毎年実際に投票可能な有権者数が減少しても議員の定員数に変更がないというのは全く不合理な話です。

デジタル化による余剰公務員とその節減財源は未来の再生可能エネルギーや脱炭素などの未来志向の新規事業開発に振り向け、さらに社会福祉負担の軽減を図るという努力が足りません。

日本の国は地下資源も少なく、自然災害も多いので、備蓄も必要ですから財政は余裕が必要です。優秀な技術力を有する人材こそが日本の資源ですので、人材育成を重視し国民が住み易い福祉と社会保障を充実すれば日本経済は更に発展します。

戦後マッカーサーの命令で47都道府県のまま、行政改革を充分に検討する時間の余裕も職業もなく、失業者救済の為に公務員を増やした時代もあって行政機構の改革がないまま

78年の時が流れており、重複した無駄な行政機構も多く残存しています。議員数も立候補者がいない地方議員もあるくらいですから整理統合、削減、合理化すべきです。

中央政府は47都道府県を集約し、一部権限を委譲し地方経済の活性化を

日本の政府は国際的な政策対応に手一杯で国内問題に手が回っていませんし、47都道府県では効率が悪く中途半端な財政規模で未来志向の新規企業を支援する力がありません。

米国では半世紀以上前より税金納付と支給及び差し引きが一元化しておりますが、日本では納付と給付は異なった下部の行政機関であり、コロナ騒ぎの時は業務が混乱して社会保険料の支払いも明細通知がなくて個人銀行預金から差し引いたり、年金より差し引いたり理不尽な行政でした。

新規事業開発で国の税金収入と国民の所得増加を図り、社会福祉を充実すべきところ、行政機構改革がないので国の財政支出は膨らむばかりで、国民は負担増大でその皺寄せが、中産階級及び低所得者層の生活を圧迫して、国の財政を支える力が減退し、国全体の国際競争力と国力が低下して、悪循環しております。

国の財政を支える若い世代の中産階級及び低所得者層への皺寄せが給与に直接影響を及

ぼしており、若者は一生懸命に働いてもマイホーム取得の夢が遠くなっています。

さらに、老後の生活不安も増幅し深刻な少子化が進行して、将来の国家衰退の危機さえも感じられ、併せて安全保障などの問題も深刻に考えねばなりません。

デジタル化が遅れた原因は全てを中央政府から下部組織へ下請け一方通行の業務分担を行ってきたからです。デジタル化を行えば中央政府が直接国民の管理を行うことが可能になり、これにより先ず事務経費節減をし、従来通り下部組織による間接事務処理すべき事項はそのままとして、中央政府と下部組織との役割分担を合理的に整理する必要があります。

米国のように国税及び福祉制度に関して、デジタル化により合理的に末端の個人まで数字が一元化して把握できるようになれば、縦割りで都道府県の役所経由でなく直接管理できるので、大幅な経費軽減と同時に事務処理のスピードが短縮でき、誤処理がなくなります。

もちろん、この場合中央政府の出先を各州に作り、デジタル化により国民が直接申告、給付金を受領することになります。

中央政府は一部のインフラ整備などの権限を地方州政府に委譲して地元の意見を重視し

ますので、効率的なインフラ整備が行われます。これによりいろいろな事故が少なくなり、報道されているような各種の国会議員の汚職も少なくなります。

これが米国の道州制であり、１９６０年代以上前からソーシャル セキュリティー番号と共に実施されており、日本でもデジタル化の遅れに気が付きマイナンバー カードとして取り入れされようとしています。

しかし、マイナンバー カード導入より先に道州制導入の議論がなく、マイナンバーカードが先に独り歩きして行政が進み、現行の47都道府県のトップダウンの行政機構の中に組み入れられているので、手作業の紐付け作業となり、間違えやミスが生じています。

その背景には民主主義の基本である人権と自由平等の精神及び社会保障と納税の公平化・効率化の思考が充分に周知徹底されず、手順を踏まず一足飛びに実施しようとしているため混乱が生じているからでしょう。

また、与野党共に多くの政治家が国民のための政治改革より個人の特権の温存を優先に行動されて、民主主義政治の基本的な自由平等の理念が理解されていません。

さらに、国民並びに長期滞在の納税義務者は法律に従い平等に納税する義務があって、社会福祉や特権付与も自由平等の精神で公平に取り扱われるべきです。

企業や個人はすべて確定申告により国税を支払っており、政府及び税務署は確定申告の際、その各企業コード番号並びに通知カード番号とその詳細を把握している筈です。アメリカ合衆国のように納税番号と社会福祉番号をマイナンバー　カードで統一して、一般国民も議員も自由平等の精神で納税の義務を果たし、公平に社会福祉を受けるための番号として、国会で決議し義務化するのが筋道です。

地方分権と道州制施行はマイナンバー　カード普及と一体のものですが、前者は国力及び、社会福祉増進のための総論であり、マイナンバー　カードは各論の手段の一つであり、このことを正面から国民に丁寧に説明すれば国民は納得すると思います。

当初より地方分権と道州制導入の議論から始めて、大幅な行政コストが節減されるだけでなく、現在直面している国力の低下並びに30年来の経済停滞、根本的な少子化問題などの解決のためという総論から順序良くマイナンバー制度の重要性について説明を進めれば、国民が容易に納得できたかと思いますが、地方分権と道州制導入に対して陰に根強い反対があるからでしょうか、地方分権と道州制導入の議論がなく、ベールに包まれております。

国のマイナンバー　カード制度は個人のプライバシー権を保障した憲法に違反するかどうかが争われた3件の訴訟の上告審判決で、最高裁は２０２３年3月9日に「合憲」とする初判断が示され原告となった住民側の敗訴が確定したのですが、「個人情報と特定個人情報の利用範囲に対して厳格に規制されている」との判断から合憲とされております。

従って、その訴訟問題のため、地方分権及び道州制導入の討議が今日まで封印されていたのかもしれません。

各県がまとまり大きな力を得て州になり、新たな財源が確保されれば未来志向の脱炭素の新エネルギー対策、新アイデアによる新規産業開発などへの投資によって人材が必要であり、失業者を出さないように転換、改革するのが行政の腕の見せ所です。

米国の世界的視野の合理的精神を学び行政の効率的改善を

米国のように企業は税金申告のコード番号があり、個人の場合は税金申告義務の年齢に達した時、並びに税金申告義務がある国民及び全外国人はソーシャル セキュリティー番号の設定義務を税制改革の面から法律化すれば脱税者が少なくなります。

自由平等の精神が徹底されれば事務処理も簡素化されデジタル化が推進されます。

その結果、給付金申請手続きの必要はなく、政府が自動的な計算で給付金を算出し、各企業並びに個人に平等に銀行送金することができます。

米国ではその事務作業はデジタル化されており、日本人の米国永住権保持者で、日本と米国の二重税金納税者は初期コロナの給付金は日本より2か月早く受け取りました。

日本に住んでいても米国の納税関係書類も1～2か月早く送付されて来ますので、この事務処理のスピードの差を日本人は深く真摯に考え且つ学び理解しなければなりません。

日本では明治時代からのトップダウンの思考を民主主義の自由平等の精神へ考え方を切り変えて、国で決めたことは国民の権利として認めて申請制度を廃止すべきなのですが、残念ながらデジタル化による事務処理の合理化ができないのは日本古来の不合理な思考の切り替えができていないためです。

さらに道徳が退廃して、コロナ持続化給付金の際、多くの国税局職員がコロナ持続化給付金詐欺を行い、それが発覚し、国民の政治不信が増幅しています。政府と国民が一体となってこのような事態を真剣に改善、改革しなければならない事項です。

現在の日本のトップダウンの行政は、階段が多過ぎて無駄な機構と事務の手違いが発生していますので、デジタル化によりこれが解消できれば公務員の人数が大幅に削減できます。

その余剰人員は、失業者を出すことなく未来志向の新規事業の公共投資に振り替えれば、国民の社会保険料の軽減、防衛費増額、少子化対策費などの捻出ができて、一石三鳥の効果が実現できます。

つまり、正直者が馬鹿を見る社会の歪みを議論することがないので、この業務怠慢が回り回って中産階級層と低所得者層の生活を直撃しているのです。

改めて民主主義の基本理念である人権の尊重と自由平等の精神の原点に戻り、思考を改めて高度な民主主義社会へ行政改革を行うべきです。

最近特に、道徳の退廃から詐欺犯罪が蔓延し、多くの一流企業の法令違反が目立つようになり、日本経済社会の将来に暗雲が立ち込めてきております。

地方分権と道州制導入を起爆剤として国力及び国民生活の向上を図り、同時に高度な民主主義に発展するために国民の自立及び政治参加意識の推進、そして国を支える民意のレベル向上教育も絶対必要です。

民主主義は主権が国民にありますので何でも政府に任せきりにするのでなく、国を支える責任と義務が国民にもあります。幅広い国民の層からボトムアップの叡智を結集して国民の政治参加意識を喚起し、政府及び国民と共に社会構造改革を行うべきです。

現在、マスコミは地方分権と道州制導入については権力者からの圧力を避けるためか、あまり報道しないようですが、日本の国力及び国民生活並びに福祉に大きく影響を及ぼす基本的事項であり国民に寄り添った気持ちで是非ともこの実現の議論推進が必要です。国の繁栄を願い国民に寄り添った気持ちがある政治家は、地方分権と道州制導入は避けて進めない優先的事項ですから、国民はこの政治、社会、経済構造改革を推進する政党及び議員を国政選挙の際、厳選して投票すべきです。

この改革が実現しますと、民意の自立心が芽生えて民主主義の大きな発展が期待できて、行政が身近になり国民が国政に関心を持つようになり、政府と国民が一体となった総力戦で高度な民主主義へ展開できます。

経済の発展と人材の活用

産業構造が激変している現代社会ではエネルギー対策及び地球温暖化対策など、次々と長期的展望の観点から公共投資による新規企業の開発、インフラ整備等が必要であり、各州単位に役割分担をして敏速に対応すべきです。

中央政府の一極集中型では行政のスピード感が鈍く、電気自動車や風力発電のモーターなどに必要な高性能レアアース（希土類）磁石の製造技術や半導体産業など国際競争が遅れがちとなっています。

日本経済発展の基礎はやはり日本の人材を生かして一生懸命に働き海外の各国が受け入れてくれる良い製品を作り、それを輸出して貿易収支が黒字にならなければ従業員の賃金を増やして福祉を厚くし、国民の生活を豊かにすることはできません。

金融政策や為替介入をして円安対策をいろいろ論議されておられますが、国民が働くことを回避して、ＩＲ誘致やマネーゲームに走っても経済が基本的には良くなる筈はありません。

日本は有能な科学者や技術者を数多く抱えており雇用環境は地方の方が有利ですから、従来の思考を思いきって切り替えて地方分権、道州制導入により、世界をリードできる各種新規事業開発をすれば日本経済の再生が期待できます。

また、権力主義やトップダウンの一方通行の考え方が民間企業にも影響を及ぼしたことにより、技術力を誇る日本企業でも失敗例が多々あります。

日本は長年のトップダウンの教育が国民の頭脳の膠着化を招き、国際化して世界に広がった現代のマーケットには対応できなくなっております。

製品の買い手の社会事情を良く理解して製品を作らなければ家電製品のように国際競争

から敗退し、失業者を増大させています。

世界には洗濯機でじゃがいもを洗うのでシンプルな安い製品を好む国もあれば、家政婦を雇用しているので鍵が掛かった冷蔵庫でないと売れない国もあります。

技術力が世界で優れていても日本の国内環境でのみ通用する製品でなく、世界の異なった環境の中では世界の各国の実情に合致した製品を製造しなければ、殿様商売に陥り日本経済の成長に限界が生じて、失業者が増える原因の一つとなっています。

国際社会では日本と異なった考えや異なった環境の国と一緒に商売し、生活をしていくわけですから、幅広い情報交換と各国に適応できるよう頭の切り替えが必要です。

兎に角、一極集中型の行政は複雑化した国際経済では対応できず、都道府県単位の行政は規模が小さ過ぎて国際経済に対応した新規事業開発の誘致や支援ができません。

国民の雇用増進に伴った生活支援や大規模な生活環境整備は一部地方へ権限を委譲して、地方に任せた方が行政は行動が敏速になり日本経済は繁栄致します。

新規病原菌に対する防疫体制の改善

毛利元就の３本の矢の教えのように、数県が纏まって国際社会で対応できる大きな力を有する新しい州として改善すれば、日本の産業は異なった角度から発展展開が可能だけでなく、新しい防疫体制が確立できます。

私がサンフランシスコ勤務の時、仕事の都合上ホノルル経由で日本へ一時帰国をした際に、ホノルル空港で同じ米国の国内でありながら検疫を二度通過しなければならなかったのですが、国が広いので病原菌の予防と州内の生態系を乱さないための配慮でした。

一番重要なことは地域の生態系保全と病原菌の拡散を防ぐこと。鳥インフルエンザの例でも判るように都府県単位では大変狭過ぎて効率が悪いことは明白です。

道州制で二重の水際検疫体制を確立すれば、州単位の広域ですから、新型コロナウイルスや鳥インフルエンザなど病原菌の終息期間短縮にスピード感のメリットが生じます。

危機管理

日本は島国のためか危機管理が緩やかな面があり、海外の危機管理体制を学ぶべきです。

米国に居住しての経験ですが、毎年確定申告を提出する州と税金還付の小切手発行の州など夫々の役割分担により州が異なるのです。

その理由を推察してみると米国ではデジタル化が進んでおりますので、主要の州にも連邦政府の出先があって必要不可欠な住民の書類はすべて共有されていると考えられます。

もし、首都に一旦緩急の事態が発生してもデジタル社会では直ぐに中央政府の機能を停止することなく首都を移転できる体制が可能であり、危機管理の面でも大変優れています。

仮に東京に直下型大地震が発生し、中央政府の行政機能が壊滅状態になった場合や、何らかの人為的事情（例えば他国からのミサイル攻撃）で都市機能が破壊されたような場合でも、デジタル社会では行政機能を速やかにリカバリーできます。

危機管理の見地からも、地方分権と道州制導入により、デジタルを駆使した行政改革を施行すれば、近代的な危機管理防衛体制を備えることができるメリットがあります。

地方分権と道州制導入の必要性及び、その骨子

日本経済が30年間低迷している原因は色々問題点が指摘されます。

国際化されて経済の中で富が大資本家や大企業に集中し、富の分配が中間層や低所得層の従業員に回らないのが原因とされており、稼ぐ力、生産性の向上、価格への転嫁など色々なことが言われておりますが、それだけでの要因ではありません。

基本的な原因は経済が国際化されて絶えず世界経済の影響を受けることになるので、世

界経済の状況変化によっても柔軟に対応できる行政体制を整えることが重要です。

企業が人件費の安い発展途上国で生産される品物を輸入して、目先の利ざやを稼ぐ方向へ動く動きもありますが、これは国内産業の空洞化が生じ、失業者が増加し易い環境となります。

国内産業の空洞化による失業者の増加や低所得者層の救済対策として、各種手当を設定し救済する政策がしばしば用いられますが、世界経済の流れを予測して、長期的展望により各種の変化に対応できる行政改革が必要です。

特に、地球温暖化対策やエネルギー問題など緊急性がある新規産業開発には国または州政府の大きな資本投資の支援が必要であり、各州で新規産業開発または誘致をして、職業の選択肢を増やし給与の底上げを図る対策が必要です。

現在、全ての権限が集中しているトップダウンの行政では時間がかかり過ぎ、県の力ではその支援対応ができませんので、地方分権と道州制導入により新規産業開発と失業対策を同時に行えば中間層や低所得者層での賃金の減少に歯止めをかけることが可能です。

さらに、地方の教育を充実して、新規の質の高い産業を開発し、若者及び中産階級と低所得者層の雇用環境を改善して就職先のパイを大きくする施策と努力が常に必要です。

日本の資源は人材であることを再認識して、その人材を活かすには雇用機会に恵まれた地方で、県から州へ力を増大した州政府が新規産業開発及び企業誘致を行い、さらにインフラ整備を充実すれば、住みやすい地方の楽園の建設が実現可能となり、少子化の懸案事項も解決できます。

過去に日本維新の会が地方分権と道州制を主張されておりましたが、地方分権と道州制導入より関西の首都圏構想を優先され、本来の地方分権と道州制の意義を正面から取り組まれなかったので、日本の国力増進と国民の生活向上に役立つという理解が不十分でした。

残念ながら、結果としてブレーキとアクセルを同時に踏まれて、全国民のための地方分権及び道州制の改革ではなかったような誤解が生じ、残念ながらいつの間にかこの推進活動が消えてしまったようです。

本来、地方分権と道州制導入は、日本国民が総力で日本経済の回復と高度な民主主義社会の基盤確立並びに民意の成長を目標として、国際化社会への対応並びに国力の高揚と国民の生活充実のための純粋な気持ちでの改革であるのに、日本維新の会の提案では関西地区の国内利権を優先にする改革のように誤解されます。そうではなく日本国民全体の幅広い改革の取り組みが必要です。

私の地方分権と道州制の発想は、１９７０年代の米国勤務の時、日本経済が国際競争に打ち勝ち、日本国民が国際貢献と幸福感を達成するには地方分権と道州制導入が必要との思考に辿りつきましたが、帰国してこの意見をのべると排斥されましたので、このことは時が熟すまで待つことにしておりました。

資源が少なく自然災害の多い我が国では常にそれをカバーする前向きの行政改革を怠ってはいけません。

また、長年鎖国をした経験と島国ですから、どうしても国内思考になりがちです。

第二次世界大戦戦後、国内経済から世界経済へ進出し奇跡的経済発展を致しましたが、リーマンショック以後経済は低迷し、国力は低下し、貧富の格差、少子化問題等を抱えております。

国際情勢はロシアのウクライナ侵略から一世紀前の弱肉強食時代に逆行して、特に少子化問題は深刻で日本国の存続さえ黄信号となっており、真剣に考えねばなりません。

現在の行政機構は明治維新の廃藩置県から１５２年経過しても同じ古い機構のままで、デジタル化による事務の効率化と行政機構のスリム化が大変遅れております。

従って、考えなしに膨らむ行政の総経費と国民が支える収入がアンバランスになっていて、行政の効果的な先行投資が乏しく、国際競争に打ち勝てる経済構造ではありません。

これを是正し再構築することが日本経済の再生の道で、地方分権と道州制導入は絶対に必要であり、これを避けて代わりの手段の道はありません。

日本経済が低迷を来すことは半世紀前より予測できたことで、それが一部の人は判りながらサイレントマジョリティーとなり社会の底流に流れても、その根本的問題を取り上げようとしないので、この著作がその改革の糸口となることを願っております。

日本国が権威主義的一方通行の民主主義社会から脱却して、高度な民主主義社会へ発展し、日本経済が国を豊かにし世界経済の発展に寄与できるよう改革すべきです。

地方分権と道州制導入により種々の問題が連鎖的に解決できると確信しており、日本国がさらに高度な民主主義へと発展できる最後のチャンスだと思います。

この根本的な問題を避ければ日本国の国力が崩落の道を辿りますので、与野党に関係なく避けて通れない道筋でありますが、何かそれを阻止する壁もあるようです。

その骨子は現行47都道府県行政を廃止して全国を8州くらいに統合して、政府が手薄になっている未来先行投資事業、地域生活環境改善のためのインフラ整備、生活向上のための新規産業開発等の権限の一部を新州政府に委譲し、政府と州政府が一体となって国力の増進と国民生活向上を図ることです。

同時に中選挙区制より少選挙区制になってから、地域密着型は良いとしても公職選挙違反が目立ち、国内視野での政策思考に低迷し、世界経済視野での政策が欠けてきて世界経済についていけなくなっているので、現在の選挙制度も再検討の必要があります。

国力は衰退し、一部の特権階級は別として一般国民生活が苦しく人口が大幅に減少しているのにかかわらず国会議員数は変わっておりません。人口減少に伴い国会議員数並びに地方議員数も可能な限り整理削減すべきです。

都道府県の統合により、行政のスリム化と行政能率向上を図りデジタル化をスピードアップして、事務の効率化で財源を捻出して、未来志向先行投資の財源とすべきです。

上記の改革により地球温暖化対策及びエネルギー対策のための先行企業や、先行していたが他国にシェア競争に敗れた半導体産業等へ、合理化による余剰人員を職業訓練の再教育を講じて送り込むなど失業者を出さないよう努力しながら行政機構改革をすべきです。

政府は、所得税及び消費税の財源は従来通りとしても法人税と固定資産税は有識者を交えて先進国の役割分担を参考にして決め、先進国であまり例がない地方交付税交付金は行政機構の歪みだと思うので、廃止しても州政府が独立して行政可能な行政体制に改善改革すべきです。

G－7各国の役割分担の例を参考に協議して、日本経済の発展及び住民の福祉及び地方のインフラ整備がスピーディーに促進できる体制を確立すべきです。

地方分権と道州制導入後、特に地方へ財源を一部移管して、特に風水害対策は発生地域が切実な問題であるので新州政府に解決を任せた方が効率的だと思います。

実現の手順

この地方分権並びに道州制導入を現政権政党がこの主旨を理解されて直ちに実現に努力されるのが一番早道ですが、この議論は長年水面下でくすぶりながら何らか影の勢力が働き、押し潰しているようで、潜在的にサイレントマジョリティーとして賛同いただける層があるようです。

たとえば、国会議員さん達が長年培ってきた地盤がこの制度を導入すると根底から崩れることになり、未来志向の国力の増大や国民の幸せより目先の生きていくことを優先される現議員さんが多いことから、私の意見は大きな波に押し潰され実現が困難な壁にぶつかる場合が充分予測されます。

しかし、日本国が世界経済の中で生き延び、日本国の将来の発展、子々孫々の未来の幸せのためには避けて通れない道であり、私情を捨て英断を下し実行しなければなりません。先ずマスコミがこの本を起爆剤として主旨を取り上げていただき、大学教授や有識者の意見と議論が必要です。

地方分権と道州制導入は、国力の増進及び国民に寄り添った生活安定福祉の改革となるかどうかという議論の原点から始めて、同時に国民全体に幅広くコンセンサスを得ることが最も重要です。

また、国会議員の中には与野党に関係なく地方分権と道州制導入を主張された議員さんもおられたようで賛同される議員さん達のご意見もお伺いせねばなりません。

先ず、第一段階として国民に寄り添ったマスコミに、この本の主旨の議論に対する反応や意見を集約することから始めねばなりません。

現与野党の中で、この主旨に賛同される政党は名乗りを上げて下さい。

政権政党として手が届く力を有する野党があれば、政権政党の対応次第で、国政選挙の時その政党が政権交代と地方分権と道州制導入を実現するチャンスがあります。

さらに、政党再編成により政権政党を目指して改革に賛同される政党があれば、その政党を支持して政権交代の道を目指し実現する案もあり、色々な選択肢があります。

次の段階では国政選挙の時、国民とマスコミが一体となり、国民が主権のメリットを生かして、国民に寄り添って地方分権及び道州制導入を公約する候補者に投票する国民運動を展開して実現する方法を検討すべきです。

国民に寄り添ったマスコミの役割は大変重要であり、国民が良きマスコミを選択することも大変重要な課題で、マスコミの世界でも栄枯盛衰があって活性化すべきです。

同時に明治維新の気骨がある先輩達のように3バンがない現代の若者が積極的に政界に進出できる絶好のチャンスであり、この主旨に賛同する若者の有志達が地方分権と道州制導入の国民運動からスタートして、革新の新党を結成して世代交代を促進する道もあります。

若者よ、新しい大きな夢を描き、世界平和及び国力の増進を自分たちの力で改革を成し遂げる気概で頑張って、さらに幸せな家庭を築いて下さい。

第三章　海外生活体験と草の根活動

座右の銘

私が学生時代に学んだことは物事の本質を見極め真実に対して忠実に生きることであり、明治生まれの父親からの遺訓は、

「1、何事も正直に誠意をもって物事に対処せよ」

「2、男子たるものは人ができることをなして当たり前、人ができないことを成し遂げることに努力せよ」

「3、人間誰しも一番得意になった時油断が生じるのでその時の注意を怠るな」

と言う三言の教訓が何時までも心に残っており、私はその教えを守り続けております。反骨精神もあり、どんな苦難に直面しても逃げることなく真摯に真正面から取り組み、色々の角度から考察し、真の本質を見極め種々の苦難を強い意志で乗り越えることを肝に銘じておりました。

高校生時代には、第４回国体の山岳競技に県代表として出場するほど山岳競技で精神力を鍛え、大学時代、哲学の時間に学んで心に残っていることは「真理は螺旋状に進む」と言う教えで、物事の実現のタイミングを見計らう時、時々参考にすることにしています。

運命の扉を切り開く

長い人生には避けたくてもどうしても避けられない運命もあり、真正面から取り組めば多少の怪我はあっても、それを乗り越えた時、新しい明るい未来が開けてくるということを名古屋での外為事件で悟りました。

その事件は当時、日本の外貨がまだ不足していて為替管理法（現在この法律は廃止されています）と言う法律があったのですが、当時、私の会社は両替商の免許を有し海外旅行から持ち帰った人の外貨を買い戻して10日以内に外為銀行に売却しなければなりませんでした（日本国の外貨が乏しい頃で、現在この法律はありません）。

終戦直後、一般人は自由に海外渡航ができなかったのですが、日本経済が徐々に回復し、やっと自由に一般人も＄５００・００の範囲内で海行が許可されるようになりました。

沖縄はまだ米軍管理下の時で、沖縄旅行には＄４００・００の範囲内で外貨の持ち出しが許可になっていた時代の話です。

欧米旅行を希望する議員さん達や会社役員さん達は＄５００・００では欧米旅行の人は滞在費が不足するだけでなく、関係先へのお土産の費用も手持ちのドルも当然不足するので、それを何とか工面するように要請されるのです。

上司の所長と前任の係長が沖縄旅行から帰国した人の余りドルを購入し（俗に言うヤミドル）外為銀行へ売却せずに会社で保管し直接顧客へ売却していたのです。

私は当時まだ主任でしたが、その短絡的発想と法令違反の責任の所在とその管理体制が曖昧で、これは会社の大事件へ発展する可能性があると危険な予感を感じておりました。

そこで、私は東京の上部の上司に転勤を願い出て、福岡転勤の内々示まで受けておりましたが、運命は逆に予期しなかった方向に動きました。

事務所が営業所から支店へ昇格する機構改革があり、主犯の所長は大阪へ転勤となり、新しい上司には支店長と旅行課長兼務の新支店長代理が赴任して来られました。

そして、私の福岡への転勤がご破算となり、逆に名古屋で係長に昇格し、そのヤミドルを管理し、処理せざるを得ない立場となったのです。

私の係長就任前はヤミドルの管理が明確でなかったので、その引継ぎもなく金額も不明確でしたので、先ずヤミドルの保有実態把握から始めねばならず、その把握に多くの時間を要し、新任上司に経過報告をしながら最終的には上司に相談の上処分する所存でした。

就任早々毎日苦労しながら一日の通常業務の終了後、その管理ノートを作成し該当する伝票を集計するので、２～３か月の長期の月日を要しました。

しかし、私の係長就任前に、すでに古参の主任が会社の金庫より勝手に＄１００紙幣を持ち出し、結婚詐欺師に手渡しておりました。

その結婚詐欺師は、愛知県警に逮捕され、＄１００紙幣を提供した主任が参考人として呼ばれたのですが、罪の意識がなく会社のヤミドルの保管状況を警察にすべて話しておりました。

ある日、愛知県警が捜査に来られ、ヤミドルの保管は誰が責任者かと問われました。

新任上司は大変尊敬していた人格者であり、下部の役職者が責任を取った方が会社の立場が良いと考えて、私が新任早々の末端の係長でありながら、男気を出して私が責任者と名乗って会社としての責任を背負って23日間、留置場に入ったのです。

本来ならばヤミドル保管を決めた係長及び前任所長、それに会社のドルを結婚詐欺師に手渡した古参の主任の３人が責任を負うべきです。

しかし、その時は誰が悪いと責任の所在を譲り合う時間もなく、会社の危機を如何に乗り越えるかが先決でしたので、私の即決で私自身が責任を負う覚悟を決断致しました。結果として事件は略式起訴となり、社長、前任者、古参の主任、それに私が略式刑で各々5万円の罰金、会社保管ドルの没収ということで事件は決着しました。

事件終了後、私は本社役員の計らいもあり旅行部門を離れて、本社営業部へ転勤し、本体の新業務に専念しておりました。

しかし、名古屋の新任上司から、入社当時の上司であった本社常務取締役兼務でニューヨークに本社が所在する現地法人社長のもとへ事件の真相が伝わり、ある日、全く予期していなかった海外勤務の話が打診されてきました。

本社への転勤をご支援いただいた別の役員の方々への恩義もあり、本社勤務を継続した方が得策とも考えましたが、人に頼らず自分自身の実力を身に着けることが先決で、海外での新業務の開発により会社へ貢献する方が、男らしい生き方であると判断しました。

ただ、父親が高齢のため生き別れとなる可能性が悩みの種でしたが、熟慮の結果、親の恩恵で安泰な生活を送るより、誰にも頼らず自分自身の力で未知の世界でのチャレンジをしたいという野望が次第に心に燃えて、最終的には父を説得し海外勤務を選択しました。

そして、企業戦士として力を蓄えて日米双方の経済の発展と会社の発展に微力なりとも貢献しようという大きな夢と希望が胸に膨らみました。

新世界での体験

直ちに、アメリカの歴史とアメリカ人の考え方を大変興味深く勉強しました。

昭和44年（１９６９年）サンフランシスコ勤務に着任した当時、米国の入国関係事務のデジタル化がすでに進んでいて、色々、日常生活が大変便利になっておりました。

第一印象は日常生活が便利で米国の一人当たりの生産性が高く、米国人一人分の仕事量を日本人では三人で行っており、日本人の幸福度も１／３でないかと言う実感を受けました。

日本と対比して米国の国土は25・47倍、人口が２・59倍（以上２０１８年度統計）で、50州でした。

民間企業はギブ アンド テイクの精神でアポイント制度が発達して、相互に徹底して合理的な時間活用をするのが常識であり、能率的な業務推進ができる社会構造であることが一番強い印象として心に残りました。

その背景には、自由平等の精神があり米国政府の行政はソーシャル　セキュリティ番号により統制されて行政事務がデジタル化により合理化されていました。

公私共に役所の手続き事務が住民の立場を良く理解されて大変便利なシステムでしたので、役所での私的な事務手続きに無駄な時間を割くことは殆どありませんでした。

さらに、行政機構がスリムになって、責任分担が明確になっていたので、行政上の疑問点は、その責任箇所へ行けば直ぐに解決できました。

その当時から日本の官庁はサンフランシスコ出先の外郭団体へ出向者を派遣しておられたので、この時すでに日本の役所でもソーシャル　セキュリティ番号の重要性を把握しておられたと思います。

出向官僚の方々は皆幹部候補の見識が高い方々でしたから、帰国されて国民総背番号制のソーシャル　セキュリティ番号をマイナンバー番号として導入するように努力されたかと思います。

しかし、それから半世紀以上経過した今日やっと日本のデジタル化の遅れに気づきマイナンバー　カードとして整備を始めた段階ですが、本来、国会で決議して国税庁が主体で納税申告と還付金の業務から推進すべき重要事項と思いますが、何故かマイナンバー　カードが一人歩きをして、この件に関して最終目的の基本的事項の説明が曖昧です。マイナンバー カードは行政機構改革のための手段であり、目的の必要性の説明がないので国民が戸惑っているのではないかと思います。

戦後、日本経済が国内のみをマーケットに考えていた時代から、海外進出し国際経済へ移行する過程で、国際競争力増進のための行政改革が必要であり、その為にはマイナンバー カードが必要であるという議論から始めれば国民の理解が容易だったと思います。

先ず、日本の複雑な行政機構を整理することから始めて、機械処理にするために事務処理の単純化が必要であり、また、古い主従関係のトップダウンの思考から主権が国民に移ったので、民主主義の基本的な自由平等の精神を充分に理解する必要がありました。

もし特権階級にさじ加減で事務処理をする裏取引があった場合はデジタル化ができませんので、一部の特権階級の人達が反対されて、隠された力が合理化に反対されているような憶測も想像できます。

古い伝統的なお上に願いをする申請制度の事務処理を廃止して、自由平等の精神を理解すれば、デジタル化に伴う事務処理の簡素化とスピード感の効果が発揮できます。

何故ならば日本ではバラマキ行政や特殊勘案事項が多いので、それを簡素化整理して、事務の合理化と自由平等の精神を主体として改善しなければデジタルの機械も複雑化するので実際の稼働に手間がかかるだけでなく、間違いも生じます。

従って、１９６９年の当時、日本国民と政府が民主主義下での自由平等の精神を奥深く理解しない限り、デジタル化の実現は大変困難があるだろうと思いました。

最初の試練

サンフランシスコへ赴任直後、一番困ったことは英語が充分に通じない社会生活の現実に直面した時です。

日本では戦時中英語を使うことが禁じられており、戦後中学校から英語の授業が始まったのですが、それは「でもしか先生」の授業でした。

「でもしか先生」とは当時の流行語で、終戦後戦地から復員されて大変優秀な方ですが、学校の先生しか職業がないので先生でもするかという先生のことを意味しております。

つまり戦後、私共が習った時代の英語は文法中心であり、話す発音と習った発音が全く異なる場合があり、文章ではわかるのですが、会話ができない英語の勉強をしていたのです。

大学在学中、そのことに気がついて少し会話専門の夜学校へ行き会話を勉強しましたが、卒業論文の作成が忙しくなりましたので、充分に活用できるレベルの会話力を身につけるまでには上達する時間がありませんでした。

そんなわけで、ぶっつけ本番の海外勤務で英語と日米経済格差のハンディキャップを乗り越えるには並々ならぬ努力が必要であり、戦時中、スパルタ教育で鍛えられた精神力で努力致しました。

英会話は戦時中米国の収容所キャンプで過ごされた日系米国籍の小児科の先生に日本語を教え、私は逆に英語の発音を教えてもらうエクスチェンジランゲージで学び、先ず仕事をする上での必要最小限の英語の発音を学びました。

業務推進の手段

仕事上では現地の協力会社とギブアンドテイクの信頼関係を構築しました。まだ日本の一部の地区ではテイクアンドテイクの商法が残存していた頃の話です。

勿論、日本からの顧客の紹介や日本本社からの各種の支援はありましたが、会社経営の基本は独立採算を堅持しながら、業務を推進拡大するのですから、毎日、死に物狂いで夜11時頃まで３人分の仕事をこなす意気込みで、労働効率を高めて働きました。

そして余剰の利益を捻出して現地の社員を一人ずつ雇用しました。

これはトップダウンの命令で働いたのではなく、担当業務が国の基幹産業であり、日本国への愛着心と貢献意欲が芽生えて、山登りの根性及び努力目標を設定して働きました。

我々の時代は戦争で焼け野原からのスタートでやむを得ない環境であり、現代では基幹産業に対しては行政機関が先行投資による営業体制の構築が望ましいと思います。

しかし、国自体が貧乏でしたのでそのような贅沢は言えず、特に営業と経営面ではいち早く現地の慣習に従った商法を学び、効率的で良いと思ったことは直ちに実行しました。

さらに、営業基盤が確立するまで、日本からの出向社員は人件費が高い点と出向社員と現地採用者との融和に余分な時間を要しますので、営業と組織経営基盤が確立するまで、可能な限り現地社員の戦力を主体として米国の慣習に合致して業務推進しました。

一人で始めた貨物業務の営業種目は海運貨物業務から始めて次第に航空貨物業務へと発展し、空港近くの南サンフランシスコに倉庫兼事務所を設置できるまでの業務拡大に辿り着きましたが、これは日本本社の各種支援と現地社員の協力の賜物の結果です。

当初は、ダウンタウンの日本本社直轄の旅客手配業務の駐在事務所の地下室を利用して海運貨物業務をスタートしましたが、何とか貨物専用の倉庫兼事務所へ移転し、営業収支の予測が順調に推移してさらに大きな規模の事務所へ移転しました。

貨物事務所の規模が大きくなるに従い、次のステップとして、日本の海運貨物と航空貨物の各部門から出向社員を呼び寄せ組織作りと組織的な営業展開へ移行しました。

現地法人の海運貨物と航空貨物業務部門が旅客部門より大きくなり、日本本社の直轄だった旅客部門を吸収して海運貨物、航空貨物と併せて3業種となり、さらに念願の現地法人のサンフランシスコ支店の開設に成功しました。

貨物部門の一番効果的なセールス方法は、物流と商流は表裏一体ですから商流の会社に相互の販売促進に繋がるアイデアを提供し、お互いの業務分担を尊重して相互に業務拡大を推進致しました。

さらに、商流のニーズに応えてヒューストンとデンバーにもデポを設置することができて次第に組織的な営業展開となりました。

航空貨物業務については同期の故後藤隆氏（本社副社長）がニューヨークの航空貨物部

サンフランシスコ勤務中での最後の秘書はビルマ　ロドリゲスと言うキューバ出身の元はスペイン貴族出身という５人の母親で、仕事の速さと正確さは日米ブラジルの３か国を通じて未だに秀でる女性に巡り会ったことがありません。

私が話すことをその場で聞きながら英語の文書を作成し、私がそれに目を通して、納得すればその文書にサインをして先方へ送付できるので、業務を大変能率的でスピード感をもって進めることができましたので大変助かりました。

彼女は５人の子供を育てた経験があり、私の子供っぽい英語をすぐに理解できたということがあるかもしれませんが、民主主義の本場での男女同権社会での女性戦力の支援に感謝と尊敬の念を抱きながら社員と一体となり様々な苦難を乗りきることができました。

生活体験

同時に業務にも個人生活にもゆとりが出るようになって、家庭では近所の方々とも付き合うようになりました。

ある日、近所の家族と夕食を共にした時の話で、その方は親日家の博士で水道局に勤務しておられるとのことでした。

毎年、早春に水源地のシエラネバタ山脈へ登り積雪量を見極めて、その年のカリフォルニア州の水の供給予測量を計算するのがお仕事だとのことでした。

つまり、カリフォルニア州はシエラネバタ山脈より水を引いてサバンナを緑地化し、農業を起こし、農業用水、生活用水、飲料水などを賄っているとのことでした。

その灌漑事業のスケールの大きさは想像ができないほど大規模で、大変感動致しました。

さらに、米国でフーバーダムを始め色々とスケールの大きい事業に接して、国家的な事業や新規の開発事業といった大事業は国又は州が支援しないとできないという現実も良く理解できました。

このような見聞から日本の国を振り返ると、日本の都道府県単位の小さな規模では行政施策が中途半端で、現代国際社会では通用しないのではないかと判断し、日本国での地方分権及び道州制導入の必要性を考えるようになりました。

個人の生活で一番困ったことはある日、息子が現在通っている公立校は学校ではないので学校へ行かないと言った時のことです。

その理由が学校では二人一対の机になっていて隣の子が息子に対して勉強するなと言ってナイフで脅すからということでした。

当時、米国では人種差別が一番問題点となっていた時期で、白人と黒人の人種差別の問題をどう解消するかが国家的な課題でした。

サンフランシスコ市の施策として、公立学校はバッシングと言って白人の居住地域から黒人の居住地域へバスで送迎して、白人（日本人も含む）と黒人をミックスにして授業を行う制度を実施していたのです。

早速、学校へ行きその事情を担任の先生に話すと先生の回答では貴方の息子はクラスで一番できが良いので現在一番できの悪い子と机をならべているとの話でした。

先生がその事実を知りそれは大変申し訳ないと謝罪され、早速、机の配置換えをするので、明日より来て欲しいとの回答でした。

しかし、初めて学校へ行きクラスの中の雰囲気を見渡すとクラスの中が荒れた様子で、あまり勉強に適した良い環境の学校ではないと理解しました。

良家の子女はどうしたのかと言えば殆ど私立の学校へ転校しており、すでに良い私立校には空きがなく、手遅れであることも判明しました。

色々、思案の挙句、「猛母三遷（中国の孟子の母親が孟子の教育のため、環境が悪い処を避けて三回引っ越しをした諺）」を思い出し、サンフランシスコ市内から離れた空港近くのサンブルーノーへ移住すれば、子供の勉強には最適の環境になることが判明して、そこへ転居することにしました。

しかし、集合住宅は皆無で全く賃貸物件もなく全てがマイホーム型の一軒家ばかりでした。

そこで、思案の挙句、日本の預金を工面して送金して戴き、それを頭金とし残りは現地の住宅ローンで一軒家を購入し移り住むことで、息子の教育の問題を解決しました。

転居後、近所の人達がケーキを持参してやってきて「困ったことがあれば早くこの地に馴れるように何でも教えて手助けをします」という大変心温まる雰囲気で迎えられ、その優しい人情味に感動しました。

これはニューカマー制度と言って新しくやってきた人に生活情報を提供して慣れない生活を手助けし、次に新しく来た人にそれを伝授する慣わしです。

家内もニューカマー制度に感動して日本へ帰国して、東京都板橋区へ外国から移住してきて日本の生活になれない人に日本の生活習慣を教えるボランティア活動で「ココの会」と言う会を木村カヨコさんと一緒に開いたほどです。

新居の周囲は樹木に覆われて、近所の素晴らしい心温まる人達に囲まれて尊厳の念を抱きながら快適な生活を送ることができました。

日本経済の高度成長期後の流れ

日本経済が戦後復興期から高度成長期初期の頃、米国の管轄の沖縄が日本へ返還され、私の仕事も順調に伸びておりました。

その頃、仕事上の大きなできごとは、日本本社が沖縄返還に伴って沖縄から回収したドル紙幣を沖縄からサンフランシスコへの現金輸送業務を請け負ったことです。

沖縄からサンフランシスコ空港までは日本本社の責任で行ったので、サンフランシスコ空港からフェデラルバンクまでの最終ドル紙幣輸送区間管理が私の責任分担でした。

勿論、実務は免許の関係で現地の警備会社に依頼しましたが、航空機3機3回の荷下ろしから立ち合いは毎回駐機場を変え、警察犬と機関銃で武装した警備員の監視のもとで航空機から装甲車へ運び込み、上空からヘリコプターで監視するという物々しい体制でした。

勿論、事故には細心の注意を払いドル輸送実施の2か月前より夕食と飲み屋での外食は一切行わず、自分自身の身の安全から無事故の輸送を誓い、最善の安全輸送に協力しました。

帰国した頃（１９７７年）日本は輸出が伸びて経済が大変好調の時で、やっと戦後の耐乏生活から脱却し、日本企業がニューヨークのエンパイアステートビルを購入して、日本では景気絶頂の頃でもう米国から学ぶものはないと豪語する人がいた頃です。

しかし、私は長年サンフランシスコに住み、行政、教育制度、民主主義の理念や市民のボランティア活動などの面で学ぶべき事項は多々あると理解しておりました。

そこで、愛する日本国が欧米諸国と対等に発展できることを願って、米国で学んだ貴重な体験や世界経済の流れから地方分権、及び道州制導入よる行政改革、生産性の効率化や賃金アップなどの問題の話をすると、同じ日本人でなく異国人の眼差しで見られました。

さらに恰も仕事でなく遊んできたかのようにも曲解されて、当時の日本ではそのような改革の必要はなく、日本人に経済再興達成の傲りが出て海外でのでき事など聞く耳は持たず「それではアメリカへ住んだら」と差別的な偏見の言葉が返ってきました。

７年間の海外勤務は、浦島太郎の心境に変わり、日本社会はまだ村社会的な排他的差別が残存する戦前からあまり変わらない社会である印象を実感しました。

そこで、日本での人間関係が悪くなることを避けて、海外での経験を日本国へ役立てることなどしばらく時の流れに任せて、意見を述べてそれが理解される時期がくる機会まで待つしかないと観念しました。

その時、哲学の教えを思い出して、日本の人々の心が国際的になり真の民主主義を理解し、私が海外で学んだ貴重な体験と未来志向の思考を聞いてくれる日が到来するまで米国での体験話は一切話さずに封印することに決しました。

しかし、残念ながら心の中では日本の社会経済構造の問題点を理解し改革されない限り日本経済はやがて困難な問題に直面する日が来るだろうと、現在の30年間経済の低迷する事態と、少子化問題が発生する事態を45年前から予測しておりました。

当時、日本の世論は輸出の好調による一時的経済好景気に沸いており、先祖が血と涙で明治維新により近代国家への道を進みながらも戦いに敗れ、戦後焼け野原と食料難の時代を経て、日本の経済がどのような要因で高度成長を達成できたのかその真実を理解していた人は少なかったようです。

その時、民主主義の教育や社会経済構造改革など、次のステップの必要を気づいていた人は少なく、その後、学校及び社会教育の退廃の結果、色々な犯罪が生じています。

残念ながらリーマンショック以来日本経済は低迷し始めて、先端を進んでいた半導体産業や家電製品等の輸出産業も韓国や台湾に追い越されて、行政はデジタル化が遅れてその皺寄せが中産階級と低所得者層に及び、現在（２０２３年度）では注目の研究論文も10位から12位になり韓国に抜かれて国力は下降状態です。

さらに、日本国民が知らない間にＯＥＣＤ（現在38カ国加盟）の２０２１年度統計によれば日本の平均賃金は38カ国中24位であり、日本の競争力が大変危険な状態に減退しています。

日本では何が原因であるかを率直に究明する議論や報道が少ないのは不思議に考えられますが、大変重要な根本的な問題でありながら、何らかの影の報道規制の圧力が働いているようで、高度な民主主義社会では考えられない事柄です。

会社方針と業務推進の壁

１９７７年に日本へ帰国後、海外での海運貨物業務、航空貨物業務及び旅行業務から離れて、再び旅行部門に戻り東京と福岡で勤務しました。

会社の旅行業務は、戦後すぐに海外旅行を取り扱っていたので海外部門ではしばらくの間、業界一位でしたが、日本に帰国時にはすでに業界2位に転落しておりました。

組織では本社航空事業部配下のブロック毎に特定航空支店があり、支店長の配下に海外旅行業務と航空貨物業務が同じ特定支店で混在していて、各々の次長が各ブロック管内における各部門の責任者でした。

航空貨物業務と旅行業務は業務推進の発想と経営手法が異なり、発展途上の初期段階では問題が生じませんが、夫々の業界が成長するに従い同一の店での経営は店舗、労働時間などにおいてメリットよりデメリットの方が多くなります。

旅行業界の競争に打ち勝ち、業績を業界一位に戻すには旅行部門と航空貨物部門を切り離し、当時まだ旅行部門に余力が残っている間に専門特化の別会社にするのが将来旅行部門の生きて行く道と確信をしておりました。

経営面では旅行業務は経済変動の影響を受け、営業収入の浮沈の波動が大きい性質があり、貨物業務は基幹産業のため営業波動が小さく、旅行業務の場合は常に収入波動対策と、柔軟な臨機応変な経営対策が必要であり、業務の手法と施策がかなり異なっております。

各業界に適応した経営体質に軌道を修正しなければ、旅行部門は業界一位に戻すどころか、会社から消滅する懸念があると当時から大変危機感を抱いておりました。

本社は貨物業務が主体の会社で、社長は初期の貨物業務と旅行業務が一体となって発展した発展期しか念頭になく、時代の流れに沿った対策を理解いただくのは至難の業でした。

上部機関と旅行業務の経営に対する意見の食い違いを調整し、旅行部門の将来の経営ビジョンを説得すべき航空事業部長は社長に説明するどころか何時も社長の意向に盲目的に沿って行動されるので、その配下の管理者は、大変将来の経営に不安を抱きながら、業務推進より社内の人間関係に苦労が絶えることがありませんでした。

当時、福岡（特定）航空支店の旅行担当次長をしていた時、営業推進会議の折に段階的に専門特化の会社を目指し、段階的に旅行支店にすべきとその必要性を強く具申しました。

その時の上司から、君は社内的には特定支店の次長から営業支店の支店長になるので降格となるがそれでも良いかと言われても、旅行部門の生き残り策と後輩の士気も考慮して、専門特化会社実現への一歩前進と心得て同意しました。

会社業務の発展のための経営戦略と個人的損得を混同してはいけないと言うのが私の心情であり、社内的な個人の資格より旅行業務に従事する後輩の士気と旅行業務の発展を重要視すべきと考えて、自己の不利益を顧みず旅行業務の専門特化への前進を主張して、結果としてそれが実現しました。

その結果、全国一斉に旅行担当の次長が旅行（営業）支店長に降格される機構改革となりました（当時、支店には特定支店、一般支店、営業支店と3段階ありました）。

さらに、航空事業部の担当部長は私の営業中心的な意見並びに中国チャムスでの朝日新聞の捏造報道をあまり快く思っておられなかったようでした。

後日、幸か不幸かその航空事業部長が福岡航空（特定）支店長で直属の上司となられて、大変信頼して下さった上司は常務取締役兼米国現地法人社長へ栄転されました。

新特定支店長が赴任されて直ちに私は旅行業務を解任されて、航空貨物業務と海運業務主体のサンパウロ所在のブラジルの子会社勤務を命ぜられました。

会社での勤務継続か家庭を犠牲にするか苦渋の選択決断

この時は子供の教育が問題で、米国育ちの下の子供はまだ日本語のハンディキャップがあり、ブラジルへ一緒に連れて行くべきかどうか大変悩みました。

私と家内は共に兄弟が多く、私は三男で家内も末子で子供を預ける両親は双方共すでに他界し、双方の兄弟も帰国子女を預かってくれる親戚は身近にいませんでした。

長男は学芸大付属高校の海外子女受入校で高校を卒業し、大学生でしたのでバイリンガルの教育が順調に進んでおり、日本へ残してもあまり心配なく成長しておりました。

しかし、米国育ちの長女は帰国時中学生でしたので、日米ブラジルの３か国の教育ではどこの国の言葉も中途半端となり、成人した際、自立生活ができなくなることが大変心配であり、長女の教育問題で大変困りました。

実はこの時、家庭を守り転勤を拒否して会社を退職するか家庭を犠牲にしても会社勤務を継続するか二者択一の選択でした。

しかし、当時私共の世代は終身雇用制度が当たり前で、社会も封鎖的で会社を退職すれば直ちに生活に困る時代であり、まだ自立の準備もしていませんでしたので、止むを得ず家庭の幸せより生きるために会社勤務を一途に継続する道を選ばざるを得ないとの判断で決心しました。

また、運悪く福岡勤務からサンパウロへの転勤でしたので、赴任前に現地の在住経験者に巡り会うことができず、現地情報が乏しく、アメリカンスクールが現地にある情報さえ教えてくれる友人や相談相手もいませんでした。

結論としてやむを得ず高校生と大学生の二人の子供を日本に残すことにし、家内は家内の考えもあり、日本とサンパウロを往来しながら過ごすことになりました。

米国では未成年の子供を親元離れて生活させれば親の扶養責任回避として処罰を受ける法律があるのですが、日本社会はまだ子供の人権を守る法律もなく、日本政府も社内体制も子供の教育の面倒をみてくれる環境ではありませんでした。

　ブラジルでの仕事上、誰も体験できない特別な試練を体験した反面、長女は日本社会の厳しさに挫折して大変悲しい事態となり、私の生涯、心を傷める結果となりました。日本では親元を離れて外国帰りの未成年の子供が暮らせる社会ではなかったのです。

　長男は色々な苦難を乗り越えて日米完全なバイリンガルに成長して、米国で法学博士号を取得し、世界の学術論文もすべて読みこなして各種の訴訟、医療訴訟も取り扱っており、私の主治医が知らなかった薬の副作用も詳しく勉強しており、米国で法律事務所を自力で設立経営する迄に成長してくれました。

ブラジルでの生活

　ブラジルの国土は日本の22・53倍の広さで人口は1・66倍（２０１８年度統計）で、州は日本の47の都道府県より少なく27州です。

　国語はポルトガル語で内示の日までポルトガル語を全く勉強したことがなく、内示を受けてからポルトガル語を猛勉強しましたが、そう簡単には習得できるものではありません。

　サンパウロ到着後、タクシーに乗るとき英語が通じず困っておりましたら、タクシーの運転手が日系人とは判らず、日本語でどうぞと言われて安堵した記憶があります。

しかし、ブラジル勤務中はポルトガル語が絶対必要であると痛感して、生活環境を整えた後、直ちにポルトガル語を英語で教えてくれる個人教授を探して、一日の仕事を終えた後にポルトガル語の猛勉強をしました。

サンフランシスコでは英語が上達してくると夜中の夢は日本語でなく英語で話している夢をみましたが、ブラジルでもポルトガル語で会話している夢を見るようになるまでに、上達しました。

ブラジルでの生活は治安が悪いので道を歩く時常に、命金（米ドル約＄50）を上着のポケットに入れて、街中で不意にトロンパ（辻強盗）に襲われた時、上着のポケットを指さすとそれを奪い取り、命は助かります。

もし、ポケットに手を入れて財布を取り出そうとすると、ビストルを取り出しているように間違えられてトロンパから先にビストルを発射されて命の危険性が生じます。

現に私のサンパウロ勤務中に日本人の某社の駐在員がそのことを知らずトロンパに襲われて、ポケットに手をいれてビストルを取り出していると間違えられて、顔面を撃たれて、一命は取り止めましたがピストルの弾が顔面に残ったまま日本へ帰国されたという話を聞いたことがあります。

日本人の駐在員の奥様達は治安が危険なため、ショッピングができないので各駐在員の家を順番に根城にしてブリッジや麻雀をして、週末には夫婦一緒に買物やゴルフを楽しんでいました。

野菜、果物や魚介類の買物はフエイラと言って、主として午前中、特定の日に住宅地の道路を封鎖して、そこで生産者が安く新鮮なものを直売するのです。

従って、家庭で作る食費は安くて新鮮なものが手に入りました。

また北半球では水の渦巻きが時計回りに巻くのですが、南半球では反対回りに回転することも実際に体験することができました。

そして、1~2年後には何とかポルトガル語を駆使して通訳無しの自力でブラジル国内を旅行できるようになり、仕事もポルトガル語、英語、日本語（日系人が居る場所のみ）の3ヶ国語で何とかこなせるようになりました。

世界の同業他社の協力とG－7の支援で会社継続

赴任して1年過ぎた頃、ブラジル国は国粋主義に傾き、運送業は国の基幹産業だから外国企業の営業は不認可となりブラジルより撤退せよと言う法律が上院、下院を通過しました。

その時、私の上司は本社常務取締役兼ニューヨークの現地法人の社長で、相互に大変信頼関係が厚い福岡勤務時代の上司でした。会社閉鎖の危機に直面したことを相談しますとブラジルのことは米国では事情が良く判らないので、私の判断で解決して良いとのお許しを得ました。

そこで、若い時に訪問した記憶があるドイツのシェンカーや米国のハーパーロビンソンの子会社のサークルエアーフレートなどの同業者がサンパウロへ進出しており、彼等はどのように対処するか、進出国の同業者と考え方を話合うという閃きが生じました。

早速、両社へ連絡してみるとブラジルに進出している国の運送業は、Ｇ－７の各国に加えてベネズエラとスイスの国々があることが判明しました。

それから各国の進出同業者が集まって専任弁護士を選び、解決をしてもらうように話が纏まりました。

その結果、その弁護士がＧ－７へ働きかけをしてくれまして、Ｇ－７がブラジル政府へ国際化の必要性を説得してくれまして、大統領の拒否権行使により無事、既存運送業者は免許の効力を継続することができるように解決し、会社閉鎖の危機を逃れました。

勿論、G－7が動き出した時、日本ブラジル大使館から私に連絡がありブラジリアの大使館へ経過説明のために訪問し、幸い日本ブラジル大使館には運輸省（現国土交通省）ご出身の領事がおられましてその方のご協力も得たことは大変感謝しております。

又、その時G－7協調と国際同業他社との協調の重要性を肌身で学ぶことができました。

秘境の世界の輸送

当時、ブラジルでは大自然の中に位置するマナウスに共産ゲリラがほう起する懸念があって、その防衛のためゴムの産地のマナウスに自由貿易都市が建設されていました。

各メーカーは部品をサンパウロ近郊で製造し、それをマナウスへ送り、組み立てた製品を南米各地へ輸出販売しますと関税が免除される自由貿易のシステムでした。

ある日、日系のメーカーより「サンパウロからマナウスへ現地の業者に部品の輸送を頼んでいるが時々、部品が届かないので何とか解決できないか」と相談を受けたのです。

早速、マナウス地区への運送の調査を始めたのですが、関係業者より最近までは土地は線で売り、面積で販売するのではないと言う意味不明の話を聞きました。

詳しく尋ねると土地は道路沿いの線の長さで販売して、両末端の90度先まで行けるところまでが売地だそうで、山にぶつかるか裸族の村に接するかは不明でそれは自己責任で解決しなければならないという次元の異なる幻のような話でした。

サンパウロからマナウスまでトラック道路はありますが12日の道程で、途中、山賊が出てトラックと運転手共に消えるので、輸送のトラックは前後に銃で武装したキャラバン隊を編成して行かねばならないという現実問題に辿り着きました。

この輸送の勉強により、昔のシルクロードの輸送が想像できて、シルクロードの輸送より現実的にはさらに厳しい輸送であることが理解できました。

そこで、会社で装甲車や機関銃を所持することになると、日本の親会社は到底理解してくれないと判断して、運送免許は所有していても残念ながらサンパウロからマナウスへのトラック輸送は断念し、現地の会社に依頼せざるを得ませんでした。

サンパウロからマナウス間の輸送は空路のみ取り扱うことにしてマナウスにデポを設置して現地社員を派遣しました。

ブラジルでの交友と自然

郵便はがき

料金受取人払郵便

大阪北局
承認

1635

差出有効期間
2025年1月
31日まで
（切手不要）

553-8790

018

大阪市福島区海老江5-2-2-710

㈱風詠社

愛読者カード係 行

ふりがな お名前			大正　昭和 平成　令和　年生　歳
ふりがな ご住所	□□□-□□□□		性別 男・女
お電話 番号		ご職業	
E-mail			
書名			
お買上 書店	都道 府県　市区 郡	書店名	書店
		ご購入日	年　月　日

本書をお買い求めになった動機は？
1. 書店店頭で見て　2. インターネット書店で見て
3. 知人にすすめられて　4. ホームページを見て
5. 広告、記事（新聞、雑誌、ポスター等）を見て（新聞、雑誌名　　　　）

風詠社の本をお買い求めいただき誠にありがとうございます。
この愛読者カードは小社出版の企画等に役立たせていただきます。

本書についてのご意見、ご感想をお聞かせください。

①内容について

②カバー、タイトル、帯について

弊社、及び弊社刊行物に対するご意見、ご感想をお聞かせください。

最近読んでおもしろかった本やこれから読んでみたい本をお教えください。

ご購読雑誌（複数可）	ご購読新聞
	新聞

ご協力ありがとうございました。

※お客様の個人情報は、小社からの連絡のみに使用します。社外に提供することは一切ありません。

日本の進出企業の集まりがありいろいろな情報交換もし、助け合いもあり日系企業の集まりで、ミナスゼライス州のウジミナス製鉄所も訪問できました。

世界に誇るイタビラ鉄山は鉄鉱石が光輝く露天堀で日本では想像もできない夢の世界であり、世界のスケールの大きさに大変感銘を受けました。

日系の各社の家族との付き合いも深まり、某銀行駐在の太田様家族と親しくなり、一緒に日本の企業が所有するミナスゼライス州アラシャの野村牧場へも旅行しました。

そこで味わったサトウキビで作ったピンガの酒がサンパウロで何時も飲むカイピリンガ（ピンガをカボスのようなレモンで割ったブラジルの人が通常飲むカクテル）とは異なり、さらに、ピンガを木の樽に寝かして製造したようで、まろやかな美味しい酒になっており、大変美味しく愛飲しました。

毎年、正月の休暇を利用して世界最大のイグアスの滝、パンタナル並びに世界一のアマゾン川やペルーの世界遺産マチュピチュ遺跡等へ旅行しましたが、全てがスケール大きく大変印象的でまだ地球にこのような自然が残されていることに感動しました。

川を遡りパンタナルへの途中、世界最大の自生している鬼蓮や川岸で野生のカピバラに出迎えられ、誰一人出会うことはなく、船を降りて道なき道をジープでいくつかの牧場の扉を開けしめして、パンタナルの民宿に辿り着きました。

パンタナルではピラニア釣りを楽しみ、現地の人に一匹だけ許可される命がけの鰐狩り、そしてピラニアの刺身、鰐のから揚げに舌鼓を打ちました。鰐の味は鶏肉の味に似ておりました。

パンタナルからアマゾン川への途中、子牛を飲み込む世界最大の大蛇アナコンダが道を真横に横たわり、乗っていたジープが運転できなくなるという珍しい体験をしました。

私自身探求心が旺盛で、ブラジルでは大変恐れられているマクンバという、奴隷がアフリカから持ち込んだ宗教に興味を抱きその教会へも行きました。

マクンバ信者に外部から危害を加えると鶏の首を置かれ、その予告後に殺されるという現地では大変恐れられている怪奇な宗教です。

友人の紹介でそのマクンバの教会へ行く機会を得て、その実態を観察しました。

マクンバの神様は教会で教祖様と信者が一緒にお祈りをしている時、稲妻のような轟と共に天から降りてきたようです。

そこで、神様が教祖様へ乗り移り、信者から個別に悩みを聞きながら神様のお告げの言葉を諭して信者に伝えておりました。

誰か危害を加える人がいてそれが解決できない時は鶏の首を置いて、予告しても危害が収まらない場合、多分その相手を何らかの方法で殺害して信者の悩みを解決するという自己防衛のための宗教のように思われました。

人類の文化発展過程にはいろいろな宗教がありますが、地域社会における集団自衛の若干過激的な行為で、大きく人道に外れる風習や極刑並びに、霊感商法のような反道徳的ではないようで、自己防衛的な宗教であるとの印象を受けました。

上記のようにブラジルでの勤務もＧ－７の支援のお蔭もあり、治安問題で毎日緊張した時を過ごし、七転び八起きをしながら難関を無事乗り越えることができました。仕事は順風満帆で成長して、４～５人の従業員の小さな会社から大きな倉庫兼事務所へ移転することができて、従業員も30数名の規模の会社に発展することができましたが、唯一、何時も日本に残した子供のことが大変気がかりでした。

サンパウロ在住の１９８６年の頃に、日本では通商産業省のサービス産業室よりリタイア層の第二の人生を海外で過ごすシルバーコロンビア計画が発表されて、その頃、日本経済は絶頂の頃で海外から「老人まで輸出するのか」との非難もありました。

しかし、日本の民主主義はまだ発展途上であり、観光では表面的な事柄しか理解できないのですが、一時的に期間が限定されたとしても、高度な民主主義国での生活体験により民主主義の本質的な理解を深めるために役立つと考えて、この主旨に大変興味を抱き賛同しました。

ハワイでの勤務

サンパウロ勤務の後、一時的に東京旅行支店勤務に戻りましたが、一年後にはハワイでの子会社を担当することになりました。

その会社はグアム、サイパン地区の事務所を含めて、旅行業務、航空貨物業務及び海運貨物業務が営業種目でした。

ホノルルの旅行業務に関してはすでに軌道に乗っており、前に一緒に働いた信頼できる有能なM氏がいましたので、旅行業務は彼にお願いして私は主として航空貨物業務並びに海運貨物業務の新規業務開発を色々研究、模索しました。

結論として、オアフ島は観光業務が主体で生産する産業が少ないためハワイ島でなければ商業貨物輸送が見込めないことが直ぐ理解できました。

従って、ハワイ島の商工会議所の会員となり、ハワイ島産の花類や他の農産物を日本へ輸出できないかとヒロにデポを設置しました。

ハワイ島の発展のため新規事業開発案としてミナスゼライス州ピンガの酒の味を思い出しました。ピンガをレモンで割るための特殊なレモンを必要としますが、幸いハワイ大学の農業試験場で、日系の中村先生の協力を得てブラジルと同じレモンが生産可能であることが判りました。

ヒロの商工会議所で親しくなった有志の会員の自宅に集まっていただき、法的な理由もあって、そのご自宅でブラジルから持ってきたピンガをハワイのレモンで割り、カイピリンガを作って試飲していただいたところ大変好評を博し、私の計画の賛同を得ました。

さらに商工会議所のある会議で当時のヒロ市長さんへも拝眉する機会があって、そのことを提案して、ハワイの未来の新企業としてご理解を得ておりました。

しかし、実現の段階では担当している私の会社の業務は物流であり、ピンガを製造する酒造会社を探さねばならず、製造会社のパートナーを探している間に帰国命令が出て、この計画は一時延期せざるを得なくなりました。

日本へ帰国後、旅行関連の商事業務の子会社を担当することになりました。

その子会社在任中に定年となりましたが、当時旅行業界を管轄する運輸省の関連機関

（日本添乗員協会）の役員も兼務しておりましたので、株主総会まで定年延長となりましたが、その後の選択肢を色々検討致しました。

老後の選択肢

当時、本社では小口輸送（ペリカン便）の経営に苦慮しておりました。

その改善案として、本社の故Ｍ副社長が最大の子会社Ｎ商事会社の社長に就任するので、根回しの段取りは済ませたからさらに定年後も一緒に働くよう要請を受けて、私自身も米国のＵＰＳの経営知識があったので、故Ｍ副社長の要請を受ける所存でおりました。

しかし、全く別の異なった事情が生じて約束に反して本社株主総会直前になり、故Ｍ副社長は別のＮ海運会社の社長に就任され、小口輸送の改善策は廃案となりました。

後日、知った情報ではその業務を日本郵政グループへ移管してその小口輸送は私の会社から無くなりました。

従って、長年勤務した会社から自由の身となりましたので、ハワイの子会社勤務の時、ヒロの市長と交わした約束を果たすため、商流を担当していただくパートナーとして予てより念頭にあった奄美大島の酒造会社を訪問しました。

何故ならば奄美大島のその酒造会社がサトウキビで作ったブラジルのピンガと同様の酒をウイスキーのように木の樽で寝かして作ったものを限定販売しており、この酒造会社の酒がブラジルのアラシャのピンガの酒と限りなく近い味がすることを知っていたからです。これを先ず観光客にハワイの酒として宣伝販売し、将来量産を目指して日本へも輸出が期待できるというのが骨子の新規事業計画でした。

そこで、その製造会社の社長及び責任者に拝眉するために奄美大島まで行き2～3日間滞在しましたが、残念ながら拝眉できずにピンガの生産者の話を前へ進めることができず、この話も挫折する結果となりました。

ヒロ市長さんには申し訳なかったのですが、これも廃案にせざるを得なくなり今でも大変心苦しい気持ちでいっぱいです。

そこで、第三の選択肢として自分の力でできる範囲内での社会貢献は地方分権と道州制導入のための草の根運動でした。

在職中、転勤が非常に多く自分の家はあまり住むことがなく貸家にしていたので、不動産の資産価値の値上がりもあって、不動産の賃貸収入で住宅ローンは返済でき、親の遺産と併せて老後の生活資金は充分余裕がありました。

しかし、その資産を有効活用して私の学んだことを少しでもなんらかの形で日本社会への貢献をして、同時に老後の家庭の幸せを築く道はないかと色々模索致しました。

私の人生の価値観として、人は贅沢をして過ごしても満足な幸福感が達成されるものでなく、私の価値観は自分の力の可能な範囲の社会貢献の目標を設定して、その達成に一途に努力することが自分自身を心豊かにする道であり、さらに家族と一緒に過ごすことができれば最高の幸せであると言う気持ちがありました。

他方、長男が米国の法学博士並びに国際弁護士及びハワイ州弁護士の資格を有しながら、バブル崩壊で一時日本へ帰国して別の仕事に従事しておりましたので、本人が願う本来の目的の仕事に転職させるよう支援しなければならないという気持ちもありました。

従って、上記の条件に合致して私の経験を生かした旅行業務の延長線にある事業は当時の通産省が提案していたロングステイの新規事業でした。

しかし、老後の生活資金をつぎ込んでの新事業開設には危険リスクを伴いますので、当初の段階では家内は反対したのですが、私は転勤が多く家族と別居生活が多かったので、息子の結婚まで少しの間でも家族と一緒に過ごす願いもあり、家内を説得しました。

私の念願の新事業兼ボランティア的活動は新規事業を設立し、家内と共に第二の人生を楽しみながら、息子の法律事務所の開設の支援をすることでした。

具体的には老後の生活資金を資本金とし、ハワイにロングステイ インクという会社を設立し、営業目的の会社ビザを取得して、同時に付帯サービスとして生活上の情報提供や余暇の過ごし方の情報提供を行い、ロングステイヤーが安心して楽しく生活できるよう支援し、民主主義を理解していただくためのボランティア的草の根運動でした。

米国で業務を開始するにはビザ申請の問題があり、米国の会社勤務中では他国籍企業の役員でしたので、永住権を申請取得する資格はあったのですが、会社から自立の意図があるとの誤解を受けることを危惧して、在職中は永住権を申請しませんでした。

従って、米国在職中はＥ－１ビザで米国永住権を取得していなかったので、米国で働くには現地で会社を設立して新たに投資家ビザ（Ｅ－２）を取得するしか方策はありませんでした。

日本の多くの方々に短期間の観光目的でなく、ハワイで日本同様な生活をしながらビザの許容範囲で長期間滞在していただき、ゴルフやバーベキューパーティをし、ハワイの生活を楽しみながら、日本と米国の文化の違いを学び、日本での「地方分権と道州制導入」につき理解を深めていただくことで、日本社会の改革の糸口になればと願っていたからです。

ボランティア的活動の具体的な内容はロングステイ ソサエティという任意の集まりで、定期的にゴルフとバーベキューパーティをして楽しみ、生活上の買い物を一緒にし、時には月下美人の花を鑑賞に行き、定例のパーティで生活情報交換を行う中で、機会ある毎に米国社会における物の考え方について雑談しました。

その雑談の中で、主としてサンフランシスコ勤務時代に体験したスケールが非常に大きい話や米国人の合理的な考え方などの話、サンパウロ勤務時代の出来事などを話して、最後は日本人の考え方と地方分権と道州制導入の必要性を話しました。

そのロングステイ ソサエティの会長には（財）ロングステイ財団の故八尋初代会長と同じ三井物産（株）ＯＢの堀洋一さんにお願いをして、ロングステイ インクの事務所を提供し、生活案内、近郊旅行手配など色々なお世話をさせていただきました。

会社を維持するための新規事業は旅行業と不動産の管理維持事業で、宿泊施設の提供及び観光、交通機関などの斡旋でした。

なお、米国でのボランティア活動は対象がアメリカ人であり、ビザ取得は営業活動目的であり、日本人対象の道州制導入の活動は雰囲気づくりの草の根運動に留まりました。

他方、日本の社会教育団体である倫理研究所からの要請で一時、ハワイ支部として米国の非営利活動法人を設立して会長を務めておりましたが、米国人の後継者に巡り合うことができず閉鎖せざるを得ない状況となりました。

当初、日本の（財）ロングステイ財団には賛助会員として参加し、同財団の支援もあり会社の運営は直ぐに軌道に乗りました。

初代の故八尋会長にはロングステイ　ソサエティの堀会長の紹介で二度拝眉して、将来のロングステイの事業について社会貢献を伴う経営方針は大変賛同を得ていました。

私の一人の力では地方分権及び道州制導入の大きな改革などできる筈がありませんが、地方分権と道州制導入は私の長年の大きな夢であり、国民の一人でも多くの方々に日本の国力の増進と多くの国民が幸せになる唯一の道筋であることをご理解戴き、子々孫々まで繁栄の道を辿ることができるよう願っていました。

日本の若者がこれから生きて行くのに地方分権及び道州制導入の壁が最大の難題であり、諸般の情勢からこの改革が実現しなければ国力と国民の生活共に徐々に衰退の道を辿らざるを得ないことをご理解いただきたいと思います。

しかし、リーマンショック以来日本経済は一変して低迷を始め、残念ながら私の予想通りロングステイヤーは円安で滞在費の負担増が予測され、ボランティア活動は個人の出費負担が大きく限界を超える事態となりました。

さらに、私も急に年老いてきましたので新規事業の会社は閉鎖して、継続可能な新事業はハワイで職場を共にした後輩に譲渡して日本へ帰国しました。

家内の病気と私のコレステロールの薬の副作用による腰痛が重なり健康上の不安が生じ、親が子供に負担をかけるのはできる限り避けて、妻と私は共に二人で何とか生きていこうと決意して、息子と別れて日本へ帰国しました。

また、息子の人権を尊重し、親のために息子の人生を拘束することは避けたいという願いもありました。

さらに、帰国を決断したもう一つの理由は、ハワイには安楽死の法律があり、治療に大麻を用いて気持ち良く人生の終焉を迎えることができます。

しかし、その治療に直面して死を意識して家族の幸せを考えた場合、私が家内より先に死ねば家内の面倒を見るのは息子だけであり、息子の仕事に支障が生じることが判明したためです。

また、私の腰痛のため家内をハワイの老人ホームへ入居させざるを得なくなり、ハワイの老人ホームでは美味しい日本食が食べられないとの情報を得ましたので、家内はハワイより日本の老人ホームが幸せだろうと考えた理由もあります。

現在、日本も近代的ケアホームが整備されておりますので、欧米と同様な親子関係の考え方の変化ができるようになったのは日本社会の進歩であり、この点については日本の行政は先進国と同様整備されており、日本生まれの日本人は老後の生活を日本で過ごした方が幸せな場合が多いと思います。

日本へ帰りまして幸いハワイでロングステイ　ソサエティのメンバーとしてご参加いただいた仲間と再会できることができまして、時々会食しながら日本では逆に私が大変お世話になる立場となっております。

雑談の中で「ハワイでのロングステイを経験して視野が広くなり人生観が変わって幸せになった」と言って下さる方もいてこの言葉が最大の喜びです。

人生何処で過ごしても、各々の自分が信じる目標に向かって一生懸命努力している時間が一番幸せではないかと思います。

第四章　民主主義の進化は国民生活を豊かにする

日本国における民主主義の流れ

民主主義は古代ギリシアおよび古代ローマ時代から始まり、古代ローマの民主主義は衆愚政治と少子化で崩壊したことが西洋史に記述されています。

日本の歴史の流れは古来天皇及び武家の権力主義の政治が継続してきましたが、幕末から明治に活躍された福沢諭吉先生の「学問のすすめ」により初めて西洋文化の民主主義的思考が導入されました。

その後、日露戦争は明治38年（１９０５）に終わり日露講和条約が結ばれましたが、多大の権利と賠償金を期待していた民衆が不満を抱き東京で講和反対の暴動を起こしました。

それが藩閥の桂太郎内閣弾劾運動と発展し、都市の知識階級が先頭に立つ民衆運動となりました。

これが大正デモクラシーの始まりです。政友会と国民党は憲政擁護を民衆に呼びかけましたが、大正２年（１９１３）２月に第三次桂内閣は倒れました。

官僚勢力の議会介入や悪税に対する民衆の怒りは強まりましたが、第一次世界大戦の勃発で政府は中国に出兵して、ドイツの租借地の利権を手に入れ、民衆の関心を戦争に向けることに成功しました。

そこでデモクラシー運動は一歩後退しましたが、大正７年の米騒動に触発され工場労働者が雇用条件の改善を要求するストライキが続発しました。

さらに、当時の政治、経済学を専攻する学者の間でもデモクラシーの正当性を理論づける傾向が高まりました。その代表が「民主主義」を唱えた東京帝国大学の吉野作造先生です。

関東大震災のあとデモクラシー運動は大正14年に普通選挙法を成立させました。

しかし、選挙人資格を制限する条項は多く、現代とはかなり異なりますが、これが日本での民主政治による選挙の出発点です。

その民主主義の政治に移行し始めたのですが、昭和７年（１９３２年）の５・15事件、昭和11年（１９３６年）の２・26事件と相次ぎ軍部のクーデター事件が起こり、軍の支配が強くなっていき、軍国政治に代わって芽生えた民主主義の政治は民意が民主主義の意義と恩恵を充分に理解しなかったため、民主主義を守ることができず虚しく崩壊しました。

　そして、軍部を指導していた近衛首相は当時の世論と開戦主張派の東條外相に押されて辞任し、近衛首相より東條首相に代わり日本は米国の経済封鎖により第二次世界大戦に突入したのです。

　残念ながら東條首相と当時の日本の世論はプロパガンダにより国際情勢の判断ができず、国民も軍部の言いなりに第二次世界大戦の戦争に流れその結果、１９４５年日本の無条件降伏で敗戦を迎えましたのですが、その反省は充分でしょうか。

　日本国中が焼け野原で、その時より１９５１年のサンフランシスコ講和条約が結ばれるまで、米軍の占領下で統治され、マッカーサー元帥がＧＨＱのトップで日本の行政を掌握して当時、天皇陛下より偉い人と言われておりました。

　その時ＧＨＱの命令で日本の民主主義が再び発足しましたが、民意はお上の言われるままに従い、講和条約締結後に再開した日本古来のトップダウンの権力主義的一方通行の政治の流れはそのまま続いております。

　１９５０年６月25日朝鮮戦争が勃発し、マッカーサー元帥はトルーマン大統領と意見が対立し解任されますが、日本を去る時「老兵は死なず、消えるのみ」と言う名セリフとともに、日本の世論を13歳と評したことを記憶しています。

日本の民主主義は、１７８９年のブルジョアに対するフランス革命のように民衆が政府の専制君主と闘って血と汗で勝ち取った民主主義ではなく、ＧＨＱより与えられた民主主義だったので民意の理解に未熟さがあり、そのような評価になったのでしょう。

日本の場合、民主主義の歴史の出発点が他の民主主義の諸国とは多少異なったとは言え、民主主義の恩恵を学び、日本の民主主義の修正すべき点は改めなければなりません。

日本国の民主主義のレベル

世界情勢を見ると香港、台湾、中国、ミャンマー、ウクライナなど多くの国が民主主義維持のため血を流し、無念の思いをしている人達が多い事実を深く理解しなければなりません。

残念ながら日本では民主主義の恩恵の理解が充分でなく、国民に主権がある自覚と責任感が乏しく、政治不信を抱きながらも選挙の時、投票を棄権している人がいます。

他方、政党は数の論理に走り、国内向きの思考が強く、国際情勢や根本的な視野での諸問題に対する対応策の議論が欠けており、その改善策は政府任せです。

また、民主主義に対する基本的な理解だけでなくＳＤＧｓに対する理解度も他の先進国の民意と比較して低いようです。

いまだ権力者からの一方通行の民主主義であり、地方分権と道州制導入の議論は何故か封印されているようで、ボトムアップの議論も無視されています。

例えば元総理大臣を経験したオリンピック会長が男女差別的な発言をして辞任する事態を見ると、民意に自由平等の精神がいまだに充分理解されていないようです。

現在も日本の古い封鎖的村社会の思考が残存し、その延長線上で差別や子供のいじめ問題が継続しておりますが、長年この問題が解決されていません。

民意には慢性的な政治不信が根底に継続し、諦めの心境であり国政選挙の投票に行かず、政治家は数の論理でカルト宗教の組織を利用し、民主主義政治を根底から歪めています。

最近の日常生活の具体的実例から推測して、先進国のレベルに達しているでしょうか。

日本の民主主義のレベルは１９５１年時にマッカーサー元帥が言った13歳から何歳くらいまで成長したでしょうか。

日常生活の具体例

1話．私は血液検査でコレステロール値が高いので、ハワイでの主治医から20数年前よりアトルバスタチンカルシウム錠という薬を飲むように言われ、その副作用で筋肉の力が低下して、腰椎変性側彎となりハワイではその手術ができないことが判明しました。

ハワイ在住の時日本語のテレビを見ていましたところ、日本では内視鏡での手術が発達していて、徳島大学の西良浩一先生が内視鏡の手術でご活躍のご様子が報道され、さらにその技術のご修得体験の為、Ｔ大学の溝口付属病院にて修行され、そのご体験談が放映されました。

私はハワイで十数年来より家内の認知症の介護をしておりますが、私の腰の痛みが酷くなり、家内の世話が困難な状態になりました。

一時日本帰国の際の根城にしていた東京都板橋区に、同じＴ大学の付属病院が東京都板橋区内にあり、過去に通院した経験があるので早速、日本帰国後、Ｔ大学板橋附属病院の整形外科へ行きました。

しかし、ＭＲＩやレントゲンを撮っても、治療法については全く説明がなく、痛み止めの薬を処方していただくだけの治療でした。

通常、アメリカの病院は患者へ病状と可能な治療法を説明し、患者が希望する治療法を合意の上で治療に取り掛かります。

従って、私はしびれを切らして内視鏡の手術の可能性について、先生から聞き出すために治療法について尋ねました。

整形外科で内視鏡の手術ができる先生は日本全国で1%未満くらいしかおられないとの情報を持っていたので、内視鏡の手術技術取得の先生かどうか下手に聞くと失礼になると思い、先生の立場を配慮して婉曲に内視鏡手術の治療方法について尋ねました。

ハワイでの主治医の先生の例を話したので、逆にそのことがお気に召さなかったようで、何らの治療法の説明はなく、ここは日本だからもうこの病院に来るなと言われました。

アメリカの医者は一般に病気の検査結果と治療方法を説明し、担当の先生が内視鏡手術ができない場合は気楽に他の内視鏡手術ができる先生の情報を紹介してくれるのです。

従って、患者の無駄な時間の浪費並びに重複する国の医療保険負担経費が節減できて、患者及び後期高齢者医療被保険の財政の双方にメリットがあります。

病気の治療法に国境がないことは万国共通であり、アメリカの診察の良い点は謙虚に学ぶべきですが、日本では病院でも権威主義の一方通行で患者は先生の意見に絶対服従です。

日本でも最近セカンドオピニオンが言われるようになりましたが、その説明もありません。日本の古い慣習を脱皮することなく、民主主義の基本的な自由平等の精神の欠如があり、人間同士の対話としてフランクに話し合いができるレベルに達しておらず、まだ一方通行の権威主義で民主主義社会ではないと感じました。

蛇足となりますが、その後、「脊柱管狭窄症」という本を探すことができまして、内視鏡のパイオニアの先生に巡り会い、再度、寒い日にＭＲＩを始めとするいろいろな検査を改めて行っていただき、遂に手術日まで決まったのですが、手術直前に新型コロナウイルの第一次緊急事態宣言があり、老人は危険という理由で手術が延期になりました。

さらに手術日を待っている期間に狭心症が発生し、肺活量の数値が低くて総合病院ではないため、生命の危険が伴い手術ができないとのことで、最終的に手術を断念せざるを得なくなりました。

結果としてＴ大学付属病院での時間のロスと無駄な検査及び国の高齢者医療被保険の無駄遣いが伴い、さらに現在、私は毎日腰痛の苦しみの中で生活を送っております。

病院の先生でさえ特権意識が強く、同じ日本人でありながら海外の病院の例を話すと度量が小さくて、異なった体験を話すと前向きには受け取ってもらえず差別的言葉で跳ね返ってきてこれが日本の民主主義のレベルかと悟りました。

2話．家内の姪は私が腰痛に悩み、一生懸命に家内の看病をしていることを知りながら特養老人ホームについて質問をしたところそれは貧乏人が入るところという説明でした。しかし、それは彼女が母親を世話した昔の話で、現在では介護認定の評価で決まると言う私の最新情報から意見の相違に直面すると「それではハワイへ帰ったら」と短絡的に差別的村社会の言葉が返って、まだ貧乏人を軽蔑する差別意識があるのかと驚きました。

これは姪の潜在意識の中に民主主義の自由平等の精神がなく、心底に階級意識があって、外国帰りの異端者を排斥する村社会的意識が働いての意見と考えられます。

その何気ない潜在的差別意識が子供に伝染して、日本の学校でのいじめの問題へ発展し、日本の学校のいじめが絶えないのではないかと悟りました。

日本では先祖から受け継いだ親達の差別意識がまだ無意識に潜在的に残存し、民主主義の自由平等の精神が身についておらず、それがそのまま子供達に受け継がれ、子供たちのいじめに連鎖されていると考えられます。

まだ日本は親達に対する民主主義の再教育から始めるべき社会でありながら、日本の学校教育において、いじめ問題をどの世代で解消するかの努力が足りないと思います。

学校のいじめ問題は日本の学校教育と親の家庭教育に起因しており、先生や親達が意識改革をして民主主義教育を徹底すれば、子供達のいじめが解消すると思います。

これらの話は明治維新以来時代を１００年くらい飛び越え、経済社会が急速に発展してきたため、民意の成長が急速な発展の国際社会について行けず、村社会の差別意識から現代民主主義における自由平等社会への転換ができていない証拠であり、この点は学校教育で民主主義に徹した教育改善が代々遅れた原因と考えられます。

アメリカ社会でのできごと

３話．ハワイ生活の中で具体的なできごとを具体的に対比して紹介します。

ハワイでボランティア的活動と新規事業を始めた時の話です。

アメリカはハワイ州やカリフォルニア州を含む多くの西海岸の州では、禁止の標識がなく赤信号でも安全が確認されれば、一方通行の場合、左折や右折が許可されます。

ワイキキのカラカウア通りでは一方通行で左折できたところが、日本へ一時帰国している間に何時の間にか左折禁止となっておりました。

ある日、その左折禁止のことを知らずに赤信号の時左折したら、そこでお巡りさんより呼び止められ交通違反の切符を切られたのですが、異議があれば裁判所に出頭するようにとその切符に書いてありました。

後で私は左折禁止の標識をどうして見落としたか、反省をしながら再度標識の確認のためにその場に行ったところ、その標識が街路樹に覆われて運転席より見えなくなっておりました。

従って、その標識が街路樹に覆われて見えなければ標識の役割を果たしていないので、早速、その場の写真を撮って裁判所に出頭し、その状況を説明しました。

後日、裁判所より無罪の連絡があり、標識を遮断していた街路樹の枝葉が切られて標識が見えるようになっておりました。

しばらくして、そこを通るとまた街路樹の枝葉が茂り標識が見えなくなっておりました。その後、私と同じような体験者がいたようで、同じところを通るとその街路樹が取り払われ標識が見えるようになっておりました。

米国の裁判所は主権である国民の立場で善悪を判断してくれます。

同じようなことが日本で起きたら日本の裁判所はどうするか考えてみると、私の想像では多分「禁止は禁止である」と国民の主権を尊重した考えでなく、杓子定規の判断で無罪とはならず罰金を支払わなければならなかった可能性があります。

民主主義社会は善良な国民の主権が基礎であり、裁判所も常に善良な国民に寄り添った判断をするべきであり、権力者はそれを尊重し、時代の変化に沿って改革すべき点は国力の増進と国民の利益を軸に改革すべきです。

戦後処理と未来志向の改革

戦後、米軍の占領下で発足した民主主義の選挙制度は、講和条約締結後も金科玉条のように根本的な行政機構の改革の議論もなく引き継がれております。

戦後、78年を経過しますと世界の社会経済構造が激変しているにもかかわらず、47都道府県の行政機構が堅持され、政府は急速に発展して来た新しいChat GPT、デジタル化、カーボン・ニュートラルなど山積する問題に対応できず、後手、後手になっています。

また、明治時代に制定された47都道府県単位の行政機構は当時、日本国内主体の思考の行政体制でさほど問題が生じなかったと思いますが、現代は活躍の場が世界中多岐に跨っており、経済も複雑化しています。

現代では各都道府県の行政は狭すぎて効率が悪いばかりでなく、各議会及び各地方議員は重複する事柄が多く、集約して広域行政に改革すれば行政経費が大幅に節減されます。

他方、マスコミの報道では日本の少子化問題は歯止めがかからず２０７０年には日本の人口が８７００万人になり、このうち外国人が１割を占め、老齢化社会で老人を支えきれなくなるという悲観的な推定報道があり、将来、日本国が消滅する危機が生じております。

この件に対応した政府の政策はこども家庭庁を新設し、各種の手当を増やすことですが、その対策だけで少子化問題が解決できるとは到底考えることができません。

これに歯止めをかける唯一の根本的な対策が地方分権と道州制導入です。政府が数県を州に纏めて一部の権限と財源を移譲すれば、州政府は節減した財源で未来志向の新規産業への投資が可能となり、30年間の経済不況対策や少子化問題などの解決が明るくなります。

さらにこの改革と同時に、国政選挙も少数精鋭主義として議員数を削減すれば増税の心配がなくなります。

他方、ロシアのウクライナ侵略戦争により世界情勢が19世紀の植民地時代へ逆戻りしている現在、戦後このような事態を予測しなかった時代に作成された憲法を改正すべきかどうか、安全保障の戦後処理、の二つとも緊急性がある大変重要な問題です。

このような重大事項を何故緊急に問題解決できないのか。これは残念ながらまだ日本が高度な民主主義国家ではないからでしょう。

高度な民主国家となるためにはボトムアップの卓越した議論が政府の政策に反映されるようにならなければなりませんが、日本はまだそうなっていないからです。

各種の議論の後、国会で決めた事項の実施についてはトップダウンのペースで良いのですが、その経過を経て実施される事柄は国力の増進と国民の生活福祉に反映できます。

民意が成長し、ボトムアップの叡智が反映され高度な民主主義に到達すれば、国民の総力が国を支える力となるので、国力が増進し、さらに国民の生活も豊かになります。

マッカーサー元帥が日本の民意を13歳と言った時、私は17歳であり現在90歳にさしかかっておりますが、現在、日本の民意のレベルは何歳になったでしょうか。

民主主義の発展を怠り、国政選挙及び地方選挙に国民が苦しんでいるカルト宗教集団を利用したことを反省して毅然とした態度で過去のしがらみを整理することができない日本の行政は、高度な民主主義とは言えません。

地方分権と道州制導入は日本の歴史に残る改革です。従来の利権にどっぷり浸かった人達は反対して抵抗するでしょうが、日本の未来永劫の発展と多くの国民の生活の幸せを願って毅然として正面から対処して議論をすれば、現代では国民の理解が得られるレベルに達していると確信しており、明治維新に次ぐ民意による歴史的な改革となるでしょう。

その改革が国民の同意により達成された時、マッカーサー元帥は草葉の陰で日本の政治は大きく成長し、日本の民主主義及び民意が国際社会で大きく活躍できる大人に成長したと評価してくれるでしょう。

第五章　国際協調の重要性

核保有なしに生きる道

現在、北朝鮮は日本に対して非友好国家であり、核を武器に日本全土と米国全土が射程距離にある弾道ミサイルを開発保有しており、拉致問題も解決の進展がありません。ロシアも日本が欧米諸国と共にウクライナを支援して、日本国を敵視していることから国際情勢の緊張に誘発されて、不意に日本を襲いかかってくる可能性があります。

また、経済及び台湾問題で米中の対立と緩和が揺れ動いておりますが、日本は安全保障条約で米軍基地が日本にあることから、中国が台湾を武力行使で侵略制圧するようなことがあれば日本も戦禍を免れることは避けられないと考えねばなりません。

世界史の中のウイグル帝国（8〜9世紀）やモンゴル帝国（1206年〜1635年）が現在の中国の自治区に編入されており、16世紀に僅かのスペイン人によりインカ大帝国がこの世から消え去った事実があります。

ロシアのウクライナ侵略の事実から判断すれば、過去の時代同様に侵略及び国を吸収する行為が現代にも存在していることを充分認識しなければなりません。

日本は被爆国であり、核不拡散条約（ＮＰＴ）で討議することは大変重要な意義がありますが、核の保有国である米国（その傘下に北大西洋条約機構と日本）、英国、フランスの欧米諸国と、ロシア、中国、北朝鮮（ＮＰＴから脱退）が鋭く対立しており、２０１５年に続き２０２２年度も核不拡散条約の再検討会議が開催されましたが、ロシアの反対で残念ながら核戦争を阻止できる情勢ではありません。

何故ならば各核保有国は核を保有していることが各核保有国の武器であり、核保有国の相互に信頼関係がなく、核を廃止すれば自国の安全保障が崩れるので、核の廃止は核保有国にとって相互に我慢比べになっているからです。

どのような施策であれば核廃止の可能性を見出せるか模索すれば、やはり国連が主導して国際裁判所と連携して、各核保有国の善意を引き出して罰則規定を設け国連改革を一歩前進させて核戦争阻止ができないかとは思いますが、現在決定的な解決策がありません。

国連または国際裁判所に何らかの強制力を持たせることは一歩前進となりますが、現実的にはその実現は大変困難ではないかと思います。

核戦争を示唆し、核を使用した場合、国連における拒否権保有国の行為であれば拒否権を剥奪するとか、国連での拒否権を有しない国の核保有国に対しては経済制裁を一段と強化するなど、各国が合意可能な歯止めの罰則を設けることも困難なようです。

今回のウクライナ侵略で見られるようにロシアは国内の情報を大変厳しく統制しており、ロシア国民の多くはプロパガンダで真実を知ることができず、ロシア国内の戦争遂行の世論はプーチン大統領の行為を正当化しており、逆に中露の関係は接近して中露側の支持国との連携を強化して世界が二つに分裂化しており、ウクライナ侵略戦争終結の見通しが未だにできません。

この様な硬直した壁に直面した場合、全く予期せぬ角度、例えばスポーツイベントの交流の場や自然災害に対する協調などから、ロシア国民の世論を刺激するようなできごとがおきて、ロシア国民の世論に変化が生じれば解決の糸口になります。

日本国の歴史は長年天皇家並びに最強勢力の武家が支配して、江戸時代末期まで他国との交流は少なく他国の考え方が理解されない場合があります。

日本国内の歴史的な長い経験では、諸々の豪族の群雄割拠の中でどの軍師が天下を治めるか見極めて主従関係を結ぶことが最も重要で、イエス、ノーを可能な限り曖昧にして、風見鶏のようにどちらにでも転向できる状態を保ったまま勝者の判定をすることが生きていくための得策であり、日本的な考えに基づく生き方の知恵でもありました。

国内では日本の弁護士が良く使う言葉ですが、「柿は熟して自然に落ちる」と言って解決すべき事柄を急がずに有利な状況変化が到来するまで決断を意図的に遅らせる手法も、日本的な考え方の一つとして残存しています。

しかし、国際社会では残念ながらこのような時間稼ぎで曖昧な中立的な考え方はあまり通用しませんので、最終決断をする時はそのタイミングを見極め即決することが重要です。西欧諸国や中国を中心としたアジア大陸では陸続きで、歴史を辿ると侵略戦争が頻繁に起きており、イエス、ノーの二者択一の決断を直ちに判断せねば国が亡びる場合もあります。イエス及びノーの中間がなく、曖昧な中立的時間稼ぎはノーのカテゴリーと判断されるので、判断と決断の時期を誤れば国が消滅する危険性があったようです。

緊急事態となった場合、日本国の憲法に抵触するので国際協調ができないという日本国内事情の言い訳は国際社会では通用せず、国際社会の援助並びに協力を受ける必要がある時、国際協力の恩恵を受けることができない事態が生じないように対処して準備しておかなければなりません。

この国際的な考え方の違いを日本人は良く理解して国際協調をすべき時は直ぐに行動し、国際社会の基準で憲法改正をすべき必要があれば、その決断を速やかに実行して改正しておく必要があります。

スウェーデンとノルウェーが電撃的に中立政策を破棄してＮＡＴＯへ加盟申請を出した如く、決断はタイミングを失ってはなりません。

第二次世界大戦直後、日本は戦争に敗れて戦争放棄して、一時期専守防衛のための戦いですら放棄していましたので、専守防衛のための軍備増強にはブランクがあり、すでに日本国は単独では国を守ることができないのが現実です。

従って、共通の価値観を有する国々との協調により平和を維持する道しか方策は残されておりません。

幸いにも日本が国連総会で国連安全保障理事会（15か国）の非常任理事国に（今年1月より2年間）選出されましたので、国連を舞台に国連憲章に従い国連の力が強大になるよう改革を推進していただき、国連が戦争を直ちに止めさせる何らかの強制力を有する改革を実現していただきたく願います。

今回、ロシアの侵略戦争においてウクライナの子供達を強制的に自国へ連れて行ったことは国連憲章に違反したとして国際裁判所がこれを取り上げ、プーチン大統領に対して逮捕状を出したことは一歩前進であり、このことがロシア国民に伝わって、ロシア国内で戦争反対の機運が高まれば良いと思います。

現在行われている経済制裁は経済制裁を科す側の立場で行うため、相互が対等の立場であることから、その効果が充分発揮できないので、国連の総意の一段高い立場の意見として何らかの制裁を科して、国連主体の活躍で戦争を止めさせる手段しか方策がありません。

国際協調の為の日本の教育改善

日本の国際化の問題点の一つとして、教育の問題があります。

日本社会は長年鎖国を経験した歴史があり、国際化の社会が提唱されながらも、潜在的に国粋主義的思想も残存しており、官庁及び企業の海外勤務者の帰国子女の教育環境整備が充分ではありません。

完全なバイリンガルになるために言葉だけでなくその国の文化も理解できることが重要で、海外に居住するのが早道ですが、国際的な舞台で活躍可能な優秀な人材の有効活用が現在の日本ではできておらず、バイリンガルの帰国子女の力を無駄にするだけでなく不幸な境遇にしております。

日本が国際化された社会で生きていくためには完全なバイリンガルの帰国子女の活用は大変重要で、国際社会の中に深く入り込むには帰国子女の活躍が必要です。

帰国時の年齢により日本の環境と両立できない場合があり、多くの人が口に出せない悩みを抱いており、政府及び企業はこれを重視してその帰国子女の教育対策をすべきです。

帰国子女の帰国時の年齢と海外居住期間の関係で、海外の居住国の環境と日本の環境の違いが理解できる帰国時の年齢の場合と、直ぐには順応できない年齢の場合があって、双方の文化の違いが理解できる年齢の場合はバイリンガルとして成長できます。

特に長期滞在の帰国子女で帰国後直ちに日本の文化に順応できない場合に、有望な子供達が不幸な結果となっている場合が多々あり、国際化に有効活用可能な人材を失うこととなっております。

逆に日本と先進国との環境の違いが判り過ぎて日本社会の排他的欠点が目立ち、その環境に絶望感を抱く場合、頭脳流出となる場合もありますが、45年くらい前にできた東京学芸大学附属大泉校のように、日本社会順応型の教育でなく海外での知識を伸ばす国際型教育が必要です。

日本の民主主義が高度に発展して自由平等の精神が浸透し、さらに日本の国際化が進めばこのような問題が解決できるでしょうが、現時点ではまだ日本と海外諸国との文化の違いに格差が大きいので、日本の経済、社会の国際化を推進するには帰国子女の教育対策を深く考慮する必要があります。

日本国はアジア諸国の中で経済、文化について国際社会を先導可能な有利な立場に立っているので、国際情報を先取りして未来志向の対策を促進するには、海外知識と体験が豊富な帰国子女の有効活用が必要です。

帰国子女が活躍できる教育と社会環境を支援してあげることが日本の国益にプラスとなることを政府及び日本の教育者は理解すべきです。

また、より多くの国と価値観を共有するためには発展途上国からの留学生は積極的に受け入れるべきで、米国のように日本で博士号を取得できるような優秀な学生に対しては日本の永住権を与えることができるような心温かい教育環境を整備すべきです。

さらに、その留学生が祖国に帰り、その国の指導者になる可能性があり、価値観を共有する友好国として日本国と共に国際協調の架け橋となっていってくれる期待もあります。

国際協調の留意点

日本政府は今日まで輸出中心に経済発展してきており、さらにTPPを推進しておりますが、種々の事情からこれは慎重に検討しなければ国益を損なう場合もあります。貿易の推進は景気回復が期待されますが、製造拠点を海外へ移転した場合、日本国内の中小企業が廃業に追い込まれて産業が空洞化し、国内の失業者が増加すると共に物作りの技術は盗まれ長期的展望では日本経済が衰退する危険性が生じることも考慮すべきです。

米国がTPPから離脱した理由が、日本では米国の国内事情と単純に報道されていますが、米国は以前に価格の安い製品の輸入を行った結果、貿易不均衡と国内産業の空洞化が生じて中産階級の生活者が困窮したことがあるからです。その時期の混乱を私は米国で経験しており、産業の空洞化により失業者が増加して社会が混乱するのを肌身で感じたことがあります。

国としては相対的に貿易収支が殖えれば良いということではありません。産業移転は富が殖えますが富を得るのは一部の資本家に偏って、逆に現在のように失業者が増加して中産階級と低所得者層の賃金が殖えず、貧富の格差が益々大きくなり経済の悪循環になる可能性もあり、この点、行政は注意深く対策を検討していかねばなりません。

現代ではカーボン・ニュートラルを始め種々の未来志向の新規企業の開発を支援する必要があります。行政改革とデジタル化による事務の合理化に伴う余剰人材を有効活用し、企業の内部留保資金を投資に回し、国内の産業の空洞化を避ければ、景気は回復されて国力が増進します。

日本国はアジア近隣諸国の中で優れた物作りの技術力を有しているので、技術の秘密を遵守して、貿易推進すべきです。

日本国内の問題を国内の目線で見て場当たり的な行政を行うのでなく、グローバルな視野で国際協調を推進し経済拡大することが自然な流れで国内の諸問題の解決策となります。

海外の国々の優れた経験と知識を学ぶ為には、日本の民主主義を高度なレベルに進化させることです。それにより国民の力と行政で豊かな夢のある社会へ変革することができます。

ただし、国際化に伴いインターネットや仮想通貨の導入などが進むと新たな国際詐欺が殖えていますので、民意の成長と共に新たな法規制が直ぐにできる敏速な政治体制が必要です。

私はインターネットによる詐欺事件を体験して警察に届けましたが、当時、警察は新たな法律ができない限り摘発できないと説明され、消費者センターを紹介されました。そこで、直ちにクレジットカードの効力をストップして私の被害は逃れましたが、警察が何もできなかったことはショックでした。

最近ではより国際化が進み、今日まで経験しなかった広域強盗事件やピットコイン詐欺のような国際犯罪が多くなりましたので、警察もデジタルのエキスパートを配置し、特殊詐欺犯罪を摘発できるような法整備や体制を整えつつあるようですが、気をつけるに越したことはありません。

日本の国は急速な国際化で変化に対応できる柔軟な思考力並びにスピーディーな決断と行動力が求められており、未来志向のアイデアと新しいタイプの犯罪に対しても決断力及び勇気が重要です。

残念ながら現在日本経済は衰退の一途を辿っており、経営危機回避のための安易な日本企業の外資導入が見受けられますが、これは思考の食い違いが生じ易く、従業員へその皺寄せがいく危険性があるので、企業の外資導入は相互に発展的導入が望ましいと思います。

第六章　発想の転換と国民の決断

国民の意識改革

古来、日本人は古いものを大切にする良い風習もありますが、明治維新から現代社会へ移行し、最近、国際社会環境が急激に変化しております。

資源が乏しく災害の多い国を守り、国民皆が幸せに生きていくためには、激変する国際社会に対して日本の貴重な資源である人材を政治、行政、経済などに生かされているかどうか、行政機構の効率改善と、財政支出の適正化を常に検討、努力する必要があります。

日本国民は長年トップダウンの政治に慣らされてお上に異論を唱えることは悪であるという思考が根底にあり、改革の意見を率先して議論をすれば自分の身に禍が降りかかるような懸念から躊躇する傾向があります。

しかし、民主主義社会では国を支える主権は国民にあり、国民が勇気を出して自由平等の精神を良く理解し意識改革をして変わらなければ政治は良い方向へ大きく動きません。

激動の国際社会では改革がなければ日本の国は激動変化に耐える力がなく、徐々に国力は低下し消滅する危険性さえあります。

１５０年以上昔に制定された47都道府県の行政機構は、効率が悪く時代遅れになっていることを良く認識して、古い流れの国内中心の権威主義を改め、国民全体の叡智を結集して国際社会で活躍できる力を備えなければなりません。

行政改革によりデジタル化を推進して未来志向の社会投資を促進すれば経済不況、貧富格差是正、少子化問題など色々な問題の全てが解決の方向に向かうことができます。

先進国と日本の行政機構を比較すれば、日本の行政機構の経費負担は多過ぎて非常に効率が悪いのは一目瞭然で理解できます。マスコミは政府に都合が悪いことは報道を避けるようで、国及び国民の為にはなりません。

日本経済を長期的に発展するように改善するには、地方分権と道州制導入が起爆剤であり早急にその議論を進めることが重要です。

金融政策も大変重要な要素ですが、経済の根本的な対策の基本は国民が効率良く働いて富を創造することであり、これを支援できる政治体制整備に主眼を置く必要があります。

この根本的な要因を避けてどのような対策を行っても日本経済は場当たり的な改善対策

しかできません。

資源に乏しく自然災害が多い日本ではその対策の予防、事故処理などの経費の出費は他国より多く、特に行政コストの国民負担に限界が来ることは40～50年前より予測ができておりましたが残念ながら誰もこの問題に取り組む人はいませんでした。

人は困難に直面した時でないと、新しい施策を深く理解しようとしませんが、その時期が現在現実となり直面しているのです。

国からの県への交付金とか、ふるさと納税などは一時的な対策であり、現在の行政機構に長年歪みが出ている証拠でありながら、政府も国民も根本的な改革をしようとしませんでした。

この本をきっかけにしてマスコミと国民が一体となって地方分権と道州制導入の議論を進めて立ち上がらなければならない時が来ました。

先ず、第一段階として、マスコミは「地方分権と道州制導入」について有識者と国民の意見を集約して賛同を得ることです。マスコミと国民が一体となってこの改革に取り組もうではありませんか。

マスコミと国民が一体となって動けば政治が変わります。

国政選挙の時、政権与党、野党に関わらず、地方分権と道州制導入に賛同される候補者に投票するような国民運動を展開するのです。

現国会議員の中でも賛同されるご意見を抱きながら、水面下で国民が地方分権と道州制導入に賛同する機運が高まることを鶴首して待機されておられる方もあるかと思います。また、野田元総理大臣が退陣の時、安倍元総理と約束された「国会議員の人数の削減による行政改革」を主張されて、大変尊敬の念を抱いたテレビ放送がまだ脳裏にあります。与野党に関係なく尊敬する国会議員さんはおられますので、その国会議員を支持しようではありませんか。

結果として日本の国力の増進と国民の生活の向上を実現してくれる政党が政権政党になることを期待しています。

危機意識

高度な民主主義に発展するには権威主義のトップダウンの一方通行の行政から、国民のボトムアップの叡智が政治に反映できるようにする政治改革が必要です。

ボトムアップの政治は国を支える国家意識と国民の自立心並びに責任感を増進しますが、

トップダウンのみの行政は国民の思考力を衰退させます。

例えば度重なる北朝鮮の弾道ミサイルの発射は、遂に２０２３年4月13日政府は北海道南西部に陸地に落下する恐れがあると予測し全国瞬時警報システムの「Ｊアラート」を発令しました。約20分後に解除され事なきを得ましたが、「Ｊアラート」は直ちに地下室に避難するよう言っていたものの何処の地区でも地下シェルターが準備されていません。

ボトムの意見を尊重して、なによりも国民の安全を守るために日頃より国際情勢から判断しておれば、ウクライナのように全国各地に地下シェルターを儲けることが大変重要な課題であることは分かるはずです。

このように「Ｊアラート」で緊急放送をしても避難する地下シェルターがなく、この必要性に関して政府の施策もマスコミの報道もなく、「頭隠して尻隠さず」の状態です。

而もなんら地下シェルターの必要性を議論する者はおらず、日本国民の頭脳が如何に平和ボケして硬直しているかの典型的な例です。

第二次世界大戦の時は高層マンションが少なく土地付建物が多く、各自家の庭に防空壕を掘って避難場所を作った記憶がありますが、現在、高層マンションにも地下退避所が設置されているところは殆どありません。

現状では、各自地下シェルターを持つことは不可能であり、実際に弾道ミサイルが着弾した場合、全く防御する手段がなく、その地域住民は死ななければなりません。

国民が死んでしまえば未来はなく、世界史に残る中央集権のインカ帝国が少数のスペイン人によって国が滅ぼされたように、核やミサイルにより国が滅びる危険性があります。

このことについて与野党共に国会で論議がないのは大変不思議な国で、日本人の思考力が如何に硬直しているかという証拠であり、世界の現実に目を覚さなければなりません。

教育改善

私が小学5年生の時、終戦を迎えて、覇権主義から民主主義へ変わりました。その時先生は民主主義の基本である相手の人権を尊重する自由平等と機会均等の精神を教えてくれましたが、現在、学校教育で民主主義の基本教育が徹底して行われているのでしょうか。

また、米国での低学年の教育は人権を重んじて子供の個性の良い点を見つけて、その長所を伸ばすような教育でしたが、日本では対照的に個人より団体行動へ順応する教育を重視し、未だに知識を蓄える教育に偏重しているようです。

若者の思考力を伸ばす教育及び自立心を尊重する教育が軽視されており、将来、色々な困難に遭遇した時、障害を乗り越える力が弱いのではないかと大変危惧しています。

明治維新以来、社会経済は急速に発展しましたが、国民はトップダウンの行政に慣れて、さらに村社会の基準に合わない人は排斥されて、それが親から子供へ連鎖し、子供が大人になり代々受け継がれて、子供の学校でのいじめとなり後を絶つことができません。

米国での道徳教育は学校、教会や家庭で行われ、戦前日本でもお寺と家庭で行われておりました。「悪いことをしたら地獄へ行く」と言う道徳教育も遠い昔の話で、現代の宗教法人が道徳教育の役割を果たしていなければ宗教法人は一般葬儀株式会社と同じで、特別免税制度は自由平等の精神に反し、直ちに廃止するのが自由平等の精神に適合しています。

一昔前の小さな村社会時代では互助精神や心温まる隣人愛などの優れた道徳心があって、古くからその良い道徳心は家庭教育でも受け継がれて治安が保たれておりました。

最近では古来の道徳心が退廃し、フィリピンやカンボジアに出かけて詐欺を働く犯罪者も多発していますが、これも日本の教育及び道徳心の退廃から派生していると考えられます。

戦後間もない頃、犯罪が蔓延した時代がありましたが、これは食うに食えない人達が犯した犯罪であり、現代の犯罪とは動機が基本的に異なっております。

この道徳改善のためには特定の宗教法人や家庭教育だけに頼らず、徹底した学校教育により、民主主義の基本と一般的な道徳心教育を理解させることが重要です。

同時に世界の平和と日本国の繁栄に貢献できるような人格形成の教育を充実させ、さらに社会教育及び道徳心の高揚に力を注ぐべきです。

マスコミの役割と協力

社会の発展と国力の増進の実現には信頼できるマスコミの協力が大変重要であり、国民に寄り添った未来志向の正しい報道を行うマスコミを常に選択して公正な政治知識を蓄える必要があります。

そして時の政府が国と国民のための政治ができない場合は、国を支えている国民が立ち上がって改善をするのが民主主義のルールです。

若者が自立心を抱き自分達の努力次第で、将来の夢が実現できる社会機構に改善して、自分達の世代で日本の社会の歪みを是正し、永続的な発展と子々孫々の幸せを構築することを願って改革に対し最善の努力で励む気構えが必要です。

国民の叡智が反映されるボトムアップへ政治形態が変わっていくと、日本の民主主義も高度な方向へ前進して、社会、経済も次元が異なった新たな発展ができます。

勿論、地方分権と道州制導入になっても中央政府の役割は変わる訳ではありません。中央政府と各道州政府のパイプが大変重要であり、一部の権限と財源が州政府に移管されて国民のためのインフラ整備などの施策が身近となり、賃金も上がりマイホーム購入の夢も実現します。

政治が国民の身近なものになれば、民意は国を支える愛国心が強くなり社会、経済も大きな弾みが生じて再生発展できて、少子化問題も自ら解決します。

地方分権と道州制導入の効果をあげるためには、行政機構及び経済機構改革と同時にデジタル化推進は必須条件であり、地方財政が改善されるには地方の新規産業開発が必要で、地方の特色を生かした未来志向のアイデアで企業誘致と自立をすることが大変重要です。

近年気候変動で集中豪雨の被害が多く国民の命と生活に大きく影響を及ぼしていますが、隣接県にまたがる多目的ダム造成も容易になり、この多目的治水対策についても地元中心の対策を検討すれば、地元に密着した新しいアイデアが浮上する地区も出るかと思います。

現代では前世紀より行政の内容が大変複雑化しておりますので外交、防衛、社会福祉、マクロ経済等は従来通り中央政府の役割分担として、治水対策、地方経済、失業対策等で生活に直結した分野は新州政府に権限を委譲とした方が効率的な行政ができると思います。

勿論、州をまたがる大事業に発展する場合は中央政府が関与するとか役割分担を民主的に決めて、トップダウンの一方通行の行政からボトムアップの意見の反映を取り入れて、新州政府の地元密着型の協同行政に加えて、国と新州政府の協同参加の総力戦で国の発展及び国民の生活を豊かにすることが国力の増進と国民の生活の安定の筋道です。

ボトムアップの国民提言型の政治で国民の意見が反映されるようになれば、首相は政権与党内の密室で派閥抗争の駆け引きのなかで決めるのでなく、公選とする道を開くことも可能です。首相は州知事の実績があるリーダーが選ばれる道も開けて、国民がさらに納得する政治へと展開し、日本の民主主義が一段とレベルアップすると確信致します。

アイデアを生かして資源が乏しいハンディキャップを乗り越える

日本はエネルギー資源が乏しいので、アイデアと努力で解決しなければなりませんが、風力発電、水力発電、太陽発電、地熱発電などのエネルギー対策だけでは不十分ですから、危険が伴う原子力発電稼働のアイデアが消えたり、浮上したりしております。

私は高校生の時、一時理系を選ぶ道を志した時期がありましたが、その時考えていたことは「日本は台風が多く又、毎年その被害も大きいので台風のエネルギーを電気に変える方法はないか、巨大化した大きな蓄電池を開発して台風のエネルギーを吸収して利用する方策はないか」と真剣に考えていた時代がありました。

その時代の蓄電池は容量が小さく私の時代には開発困難と判断して文系へ進みましたが、最近NHKのテレビを見ていますと現在その研究をしておられる機関があるようです。

それは大変夢がある話で、そのような方々へ国及び州政府が是非その開発を支援して、世界に誇れる日本独自の新産業を開発していただくことを夢に描いております。

現代では電気自動車が開発されていますが、さらにその何倍かの蓄電池が開発されればその実現も夢ではないと思います。

民主主義精神に徹せよ

日本は何故他の先進諸国と比較して行政のデジタル化が遅れたかといえば日本の古い思考にも原因があるようです。

デジタル化が遅れた原因は歴史的な印鑑登録証明書制度を電子署名へ改善すべきかどうかの議論もあるべきですが、そのような議論はあまり報道されておりません。

日本人は政府の給付金は古来、お上の恩恵であり願い出る申請が当然であるというトップダウンの権力主義の歴史的な思考の象徴で、自由平等の精神に反しております。

戦後、ＧＨＱの命令により民主主義へ移行し、会社の納税申告及び所得税の支払いは確定申告になりましたので、政府は会社及び国民の所得はすでに全部把握しております。

従って、政策で決めた給付金は国民が自由平等に当然受ける権利であり、納税申告時にデジタル化しておれば申請の必要は全く無い筈です。

民主主義の根源である自由平等の精神と国民の権利と義務の関係が近代的思考に従って理解されますと、給付金は政府と国会が決めたことですから、国民の権利であり申請制度は必要なくなります。

その考え方が理解できないので、事務処理を複雑化しており、政府の事務方より多くの給付金詐欺の犯罪者が増出するような失態が出ました。

米国ではソーシャル　セキュリティー番号の設定により国民の納税が完全に管理されて、納税と給付金は一体のものであり、申告なしに政府の決定に従い自動的に給付されます。

日本は半世紀前より、一部の人はこの制度を知りながら導入されず、最近デジタル化の遅れに気づいていてマイナンバー制度を導入されようとしています。本来、国税庁が主体で税制から推進すべきですが、何故か動かねばならない主体が動かず、日本の行政は国、市（又は区）の下請負の事務作業の行政機構の中に組み入れようとしています。

従って、マイナンバーカードが独り歩きして付帯事項を紐付けするので、作業ミスが生じていると考えられます。

国税制度は全国民平等に同一で、それが道州制導入の広域行政になっても管理上の手段としてデジタル化の効率化で、マイナンバー番号（米国ではソーシャル セキュリティー番号）を用いて、政府が下請けなしの直接一元管理にすれば作業ミスは生じません。

さらに、日本の未来志向の政治に反して国税庁及び郵便局が他国籍のＬＩＮＥを利用して、第三国に個人情報が漏れても基本的な改善がなされていない場合、マイナンバー カードの導入に水を差す状況となる場合が生じるのではないかと危惧しています。

日本は第二次世界大戦に敗れ戦争放棄したとは言え、国内の個人の情報の大切さが理解されず、軽率にも日本国内の情報網の整備までおろそかにして他国に依存したのでしょうか。

私は身体が不自由の為、毎年の確定申告に予約なしには行くことができないので、確定申告の予約日をお願いする目的で、止むを得ずＬＩＮＥを導入しました。

その結果、ハワイ居住の息子と毎週電話をしている息子との会話のためにセットしたiPhone の Face time の中に全く関係がないＬＩＮＥが入ってきて大変驚きました。私の iPhone を通じて息子の法律事務所へ入り、法律事務所のお客様の情報にもご迷惑を掛ける懸念が生じてきたので iPhone のＬＩＮＥをキャンセルしました。

国税庁と郵便局は目先のことにとらわれず国際的デジタルの安全保障に目を配り、日本国内独自の会社を育成して、日本国の機密及び国民の個人情報は日本政府が責任をもって保護ができるように改善すべきです。

デジタルの安全保障に懸念が生じると国民はデジタルより遠ざかり、日本のデジタル化は先進国よりさらに遅れて、日本国民は重たい行政コストや企業機密の重たいハンディキャップを背負って国際競争に挑み、その皺寄せが国民生活に響いてくるのは明白です。

幅広い叡智は国民生活を豊かにする

常に柔軟な発想の転換は必要で、国連が提唱するＳＤＧｓの自由平等の精神に順じた思考についても、多くの国民が納得するような夫婦別姓の問題についても、解決の早道があります。

現在、選択的夫婦別姓制度を法制審議会が導入を答申して26年も経過していますが、未だに解決していません。

最高裁判所は夫婦別姓を認めない民法の規定を合憲と判断していますが、新しい制度の導入を否定してはいません。

私見としてジェンダー平等を達成するには何も夫婦別姓にこだわらず、外国の例に倣って結婚後、夫の姓、妻の姓、名前を併記して三つの名前構成に法改正を変更する新議論へ転換すればジェンダー平等達成への早道ではないかと思います。

この三つの名前の構成にすると長くなり日常生活では不便を感じるならば、外国の例のように、戸籍とは別に通称で夫又は妻のどちらかをイニシャルにすれば良いと思います。通称ですからどちらをイニシャルにするかは夫婦の話し合いのルールで決めれば良い話です。

これも私見ですが日本は詐欺が多いので選択的夫婦別姓制度にすると所得税控除の脱税と結婚詐欺が急増する懸念があり、柔軟な発想の転換により選択的夫婦別姓制度より安全な三つ連名制度の方が現実的で良いと思います。

日本の民主主義が発展して特定の権威者からのみの意見だけでなく、埋もれている現実的な一般の優れた意見が社会へ反映されると、多くの国民はそういう考えもあるのかと気付き政治に興味を抱くように変わります。

さらに日本の社会は国民総力戦で経済発展及び生活向上に向かうので、国力は伸び、国際的な幅広い叡智でさらに活性化するでしょう。

一般的に日本人は枝葉抹消な議論が多く、マクロ的な未来志向の幅広い視野の議論が少なく、国会討論でも視野が狭い目先の議論が多く、長期的展望で、日本経済や社会を根幹からどのように改善すれば国力が増進し、最終的には国民の暮らしが良くなるという基本的な正論が欠けております。

日本国民の生活様式も世界の福祉制度に準じて、先進国と同様親子関係の価値観に変化が生じていますので、日本国民にも役に立つ良い法律は日本に適応するように率直に取り入れると日本人の生活が豊かになります。

具体的な例をあげると相続財産に関する法律として米国にはトラスト制度があります。

米国法学博士　大塚純介弁護士の説明は下記の通りです。

「英米法でのトラストとは契約で成立するが、その財団が法律上法人に準ずる存在になるものである。つまりトラスト名義で財産を保有できてトラスト名義で契約を締結できる。

遺書や後見人指定の代わりにトラスト契約が使用される。生前中財産管理を誰がして、死後誰に分配するとかトラスト契約に指定できる。

一般的に後見人手続き・検認手続きを回避するための遺産管理計画での手段として利用される」

この法律が実現しますと、さらに近隣諸国裕福層に限定して適応枠を広げれば「高レベルの医療が充実した老後の豊かな生活」と言うキャッチフレーズで近隣諸国の富裕層を誘致するアイデアも浮かびます。

ある一定の高額な金額を日本のトラスト財団と契約ができる外国人に、日本の治安を乱さないということを条件に審査の上、日本の永住権を許可すれば円安の歯止めに役立ちます。

この実現により多額の資金が日本へ流入しますので、円は円高傾向に動き、日銀が子孫へ尾を引くような為替介入をするよりも健全な手段で円高を維持できて、経済効果も大きくなりますので一石二鳥の効果があります。

日本では古来子供が親の面倒を見るのは当然のことでありますが、少子化と子供の活躍の場が世界中広範囲に及び、親子が同居できない種々の事情が生じてきております。

また、日本の貧乏な時代の古い慣習の流れで、人権を軽視して無理に親子3代にわたり同居していますと、価値観の違いから最近、親子親戚関連の財産分与の問題で殺人、放火事件の記事を見かけるようになりました。

現代では各人の個性が多岐にわたって発達してきており、時代の急速な発展と共に親子関係の価値観が大きく異なるようになって、新たな課題が生じています。

現代では介護保険が整い、特定の子供に頼らず親が一人で暮らすことができる世の中になってきました。

肉親同士の財産争いが生じないため、さらに子供が親の財産をあてにせず自立心を持たせるためにトラスト制度を有効に活用しますと、生前贈与の手続きが不要になります。

さらに、トラスト制度により家族間の裁判沙汰の争いが軽減するばかりでなく、親が子供達に対しては兄弟平等に接することができるので、家族間の信頼関係が保たれて、家庭円満な方法で財産分与ができます。

ボトムアップの意見が政治に反映されるようになると、日本国民の幸せを呼び裁判所の手間が省ける法律などが続々紹介されるようになります。

さらに、長年硬直している問題も、ボトムアップで幅広く国民の叡智を議論すれば、無駄な時間と国の経費が削減されて、円満な国際貢献ができる場合が生じます。

　例えばリニアモーターカーの工事がトンネルの掘削工事などによる自然破壊になるという静岡県の反対意見も一理あって膠着状態となり、長く中断されて解決の予測ができません。

　世界に誇る技術が時間を浪費している間に社会情勢の変化が生じ利用価値も半減しており、このような膠着した時には速やかにきっぱり発想の転換をすべきです。

　山が多い日本でのリニアモーターカーの開発は、トンネルの掘削に多く危険性もあり、また、地震や台風が多いので保守費用も多く無駄な浪費となる可能性も十分考えられます。

　私見では既存の工事が完了している区間はセールス用の見学施設や観光目的の施設として利用し、日本国内で開発完成することを断念して、リニアモーターカーの技術と事業を海外へ売り込んで世界に貢献できればリニアモーターカーの利用価値は世界へ広がり、その技術が日本国内ではなく、世界で評価されます。

　米国カリフォルニア州での優れた成功例のように、世界には水を引き交通を便利にすれば砂漠やサバンナが開発されて農作物を栽培でき、多くの人が移住し生活することができて、新しい新興都市を建設できるようになりますし、その候補地は世界にまだたくさん残存しております。

政府及び、国連にも協力していただき、資金は難民の流入で困っている国々から拠出していただいて、米国のカリフォルニア州のように、砂漠やサバンナに全く新しい新興都市を建設して不幸な難民を受け入れる突飛な発想転換も実現可能な夢であり、国際貢献ができます。

さらに、発想の転換をすれば身近な小さな例はたくさんありますが、身近な小さな例も少しだけ付け加え提案します。

郵便ポストの件ですが日本では長年郵便配達先と投函の郵便ポストが別の場所になっているのが常識ですが、外国の集合住宅では郵便の受け箱と同じ場所に差出先のポストがあります。

集配場所が同じ場所ですから郵便局の配達員と郵便物を集荷する人が同じ人であれば、郵便局の人件費が節減できると同時に、住民もわざわざポストへ投函に行く手間が省け、利用する住民も郵便局双方とも便利なのですが、トップダウンの政治の影響で、郵便局の幹部は頭が硬直しているのか職業救済のためか明治以来変更しようとしません。

私が横浜市栄区本郷台に住んでいた１９９２年頃の話ですが、新興住宅地である本郷台から戸塚方面に抜ける新しい道が若者に知れ渡り、住民が危険性を感じるような猛スピードで車が通り抜けるようになりました。

自治会でどのような対策をしたらその危険性を回避できるが討議しました。

私は早速、アメリカのスピードバンプ、（ブラジルではロンバルダ）といって道路と直角に凸面の盛り土を作り、強制的にスピードを落とさせる方法を提案しました。

その時は逆に運転する人が危険であるという理由で否決されましたが、ガードフェンスを設置すればもっと費用が掛かるし、千葉県で起きた児童の通学路での交通事故も少しの費用で回避できたと確信しております。

その後、千葉県やその他の地区で度重なる児童の悲惨な事故が報道され、やっとある地区ではスピードバンプが設置されたようですが亡くなられた児童の命は帰ってきません。早く、それを日本各地で報道して、英断を振るい設置すれば何人かの児童の命が助かったかもしれません。

兎に角、色々な困難に直面した時、従来のトップダウンの行政に盲目的に従うのでなくボトムアップの叡智で率直に実現可能な解決策を議論するのが現代の民主主義の基本です。

その結果、平和を維持でき、国民が豊かになり、幸せな生活を送ることができますので、常に時代の変化に応じた柔軟な発想の転換ができる社会にすべきです。

国民の決断と勇気

若い人達はこれから長い人生を過ごさねばならず、特に地球の自然回復の事業、地球にやさしいエネルギー開発の事業など課題が多く色々な困難に直面しています。

明治維新は日本の偉大な歴史的行政改革でしたが、時は大きく流れて、社会経済も大きく変わり明治時代の行政機構は現代社会に適応しておりません。

明治維新の改革は血を流すような歴史的な改革でしたが、現代の日本は民主主義の精神がかなり進展してきておりますので、若者の献身的な熱意と未来志向の正しい判断があれば、民主主義のルールで国政選挙の時、地方分権と道州制導入を推進する候補に投票する国民運動を展開して、それを善良なマスコミが支援していただければ地方分権と道州制導入は実現可能です。

現状の日本の国会は色々な歪みが出てそれを改善する具体策も努力もなく、失われた30年間を取り戻す政策もなく、深刻な少子化問題などの諸問題に直面しています。この現状の継続は国力の低下を来たし、貧富の格差の是正の根本的な対策も放置されて、さらに深刻な事態に直面することが予測できます。

この解決の明確な切り札が地方分権と道州制導入ですが、長年封印されてきたこの意見を将来の担い手である若い人達が勇気をもってこの改革に取り組み、日本の未来を切り開いてください。

私も子々孫々の人達のために死ぬまで老骨に鞭を打ち、私のできる限り力が及ぶ範囲で、若い人達と共に力を合わせて、地方分権と道州制導入の改革実現推進に努力する所存です。

一生悔いが残らぬよう、子々孫々の人達のためにも決して諦めてはなりません。

主権が国民にあることを肝に銘じて国民自身の主権を発揮できる環境を整えれば、若い人達が歴史的な行政改革を実現することは可能です。

その結果、深刻な少子化問題など諸難問題がすべて解決できて、日本国民の幸せな生活だけでなく、世界に貢献できる先進的な民主主義国家となり、大きく羽ばたく幸せな未来の夢を切り開くことができます。

あとがき

私が最初に海外勤務をしたのは１９６９年から１９７６年の７年間、サンフランシスコ勤務地でした。

その時代は戦後24年を経過して、やっと米国への輸出が盛況になり、経済復興が軌道にのり始めた頃で、まだ沖縄は米軍の管理下でした。

私の業務は国の基幹産業であり、各商社やメーカーの輸出入がスムーズにいくために補佐する業務であり、日の丸の一端を担ぐ気持ちで寝食を忘れて働きました。

沖縄が日本へ返還された時、ドル紙幣返還業務を日本本社が受注して、最後の空港から米国の連邦銀行へ返還する所在地への、輸送の管理責任の一端の仕事にも携わりました。日本では１９７２年、田中角栄内閣が発足し、同年「日本列島改造論」を出版されましたが、海外居住のため拝読する機会がありませんでした。

海外に住んでいると日本の国を愛する気持ちが一層強くなり、何時も日本と米国を比較しながら考察し、日本には地方分権と道州制導入が絶対必要であるという考えが芽生えました。

しかし、帰国して米国での経験談や色々学んだことを話すとアメリカボケと言われて、蔑視されるばかりでなく人間関係も悪くなります。

従って、私が主義主張することを時期が来るまで待つことにしていました。

本年になって「日本列島改造論」が再出版されて、拝読の機会を得ました。

トップである田中角栄元首相の「日本列島改造論」は日本国内の事柄の数字を取り入れられて説得力がある尊敬する本であり、現代でも通用し、賛同する事柄も多々あります。

ボトムである私の本は実体験による国際的かつ民主主義の角度からの思考であり、国の将来を案ずる気持ちには共通点があります。

「日本列島改造論」のP22には地方自治との関係を何とかしなければならないと記載されており、私の答えは地方分権と道州制導入であり、またダムは1千ヶ所所増設しなければならないと記載されており、この点は大いに賛同し、同意見です。

僭越ながらトップの「日本列島改造論」とボトムの体験から提案する「日本再生の道」双方の長所を取り入れて、国が進むべき道を間違いがないようご理解をいただき、行政改革の道標にしていただければ日本が再生の道を歩けると存じます。

最後になりましたが風詠社の益々のご発展を祈ると共に、ご支援を心から感謝申し上げます。

大塚　眞介（おおつか しんすけ）

昭和 32 年　　九州大学文学部　卒業
同年　　　　　日本通運㈱入社
昭和 44 年　　米国日通㈱　出向
昭和 51 年　　米国日通㈱取締役　サンフランシスコ支店長
日本通運㈱福岡旅行支店長
日本旅行業協会　九州支部長（兼務）
ブラジル日通㈲　出向　代表取締役社長　（4 年間勤務）
ハワイ日通㈱出向　代表取締役　社長
日通旅行ビジネスサービス㈱代表取締役社長（平成 6 年 6 月辞任）
社団法人　日本添乗員協会　理事（兼務）（平成 6 年 6 月辞任）
平成 7 年　　　ロングステイ　インク㈱　設立（米国）
平成 23 年頃　ロングステイ　インク㈱　会社譲渡一時帰国

現在：日本通運㈱　参与

著書
2003 年 3 月　ハワイ黄金生活　　　講談社
2008 年 7 月　新ハワイ黄金生活　　講談社

日本再生の道　～地方分権と道州制の提案～

2024 年 1 月 24 日　第 1 刷発行

著　者　大塚眞介
発行人　大杉　剛
発行所　株式会社 風詠社
〒 553-0001 大阪市福島区海老江 5-2-2
大拓ビル 5 - 7 階
TEL 06（6136）8657　https://fueisha.com/
発売元　株式会社 星雲社
（共同出版社・流通責任出版社）
〒 112-0005 東京都文京区水道 1-3-30
TEL 03（3868）3275
装幀　2 DAY
印刷・製本　シナノ印刷株式会社

ISBN978-4-434-33287-6 C0095